Chères lectrices,

Alors, ça y est, vous savourez enfin l'air des vacances ? Avouez que c'est bien le plus agréable qui soit... Marin, alpin ou boisé, nous avons bien du mal à nous en rassasier tant il est précieux... et éphémère, de surcroît !

J'espère que, en bouclant vos bagages, vous avez pensé à emporter l'essentiel. Ce que j'entends par là ? De la lecture, voyons ! Un bon roman ne fait-il pas partie de la panoplie des vacances, au même titre que la crème solaire, les tongs, et les petites robes d'été ? Car les visites touristiques et les balades au grand air ont beau être agréables, reconnaissez que pour se changer les idées, il n'y a rien de tel qu'un bon livre ! Vous savez, ce livre qui vous suit partout — au bord de la piscine, sur le sable brûlant ou sous les grands arbres de la pelouse ! Un livre tel que celui que vous avez entre les mains, et qui vous fera passer, j'en suis sûre, un excellent moment...

Très bonne lecture, et rendez-vous à la rentrée !

La responsable de collection

D0494043

Fiançailles impromptues

DARCY MAGUIRE

Fiançailles impromptues

COLLECTION AZUR

éditions **Harlequin**

Cet ouvrage a été publié en langue anglaise
sous le titre :
A CONVENIENT GROOM

Traduction française de
ÉLISABETH MARZIN

HARLEQUIN®

est une marque déposée du Groupe Harlequin
et Azur ® est une marque déposée d'Harlequin S.A.

Toute représentation ou reproduction, par quelque procédé que ce soit, constituerait une contrefaçon sanctionnée par les articles 425 et suivants du Code pénal.
© 2004, Debra D'Arcy. © 2005, Traduction française . Harlequin S.A.
83-85, boulevard Vincent-Auriol, 75013 PARIS — Tél. . 01 42 16 63 63
Service Lectrices — Tél. : 01 45 82 47 47
ISBN 2-280-20422-3 — ISSN 0993-4448

1.

— J'ai perdu mon numéro de téléphone, pourriez-vous me prêter le vôtre ?

Avec un regard dédaigneux pour l'homme qui venait de l'aborder, Riana Andrews secoua la tête. Il ne fallait vraiment pas avoir peur du ridicule pour oser une plaisanterie aussi stupide ! songea-t-elle, atterrée.

Elle but une gorgée de son cocktail. De toute façon, même l'esprit le plus brillant du monde n'aurait aucune chance avec elle. Il y avait déjà quelqu'un dans sa vie. Certes, Stuart l'avait prévenue deux jours plus tôt qu'il serait trop occupé pour la voir cette semaine, mais cela ne les empêchait pas d'être faits l'un pour l'autre. D'autant plus qu'elle aussi était submergée de travail.

Elle regarda sa montre. Où était Maggie ? Sa collaboratrice et amie lui avait donné rendez-vous dans ce club pour lui présenter un des photographes de mode les plus en vue de Sydney. En principe, elle aurait déjà dû être là.

Riana croisa les doigts. Pourvu que Joe Henderson accepte de photographier sa collection de robes de mariée ! Il avait sans nul doute d'autres engagements, mais il fallait à tout prix qu'elle parvienne à le convaincre de lui trouver une place dans son planning. Elle avait absolument besoin de ces clichés pour la semaine prochaine. Lors de son premier défilé, tout le monde lui réclamerait des photos de ses créations. Du moins fallait-il l'espérer...

Riana reposa son verre sur le bar. Son cocktail était délicieux et l'endroit très agréable. Malheureusement, ce soir les dragueurs les moins doués de la ville semblaient s'y être donné rendez-vous. En une demi-heure elle avait entendu plus d'inepties que depuis sa première sortie en boîte de nuit quand elle était adolescente...

Elle reprit son verre et pivota sur son tabouret. Le Club, comme l'avaient appelé en toute simplicité les propriétaires, occupait les trois étages d'un immeuble ancien situé dans le quartier pittoresque nommé The Rocks.

C'était le dernier lieu à la mode, et chaque soir une clientèle jeune et aisée s'y pressait. La musique qui se déversait des haut-parleurs répartis aux quatre coins de la salle atteignait un niveau sonore qui obligeait à hausser la voix ou à se parler à l'oreille.

Un jeune homme en veste noire s'immobilisa à côté de Riana et se pencha vers elle.

— Croyez-vous au coup de foudre ? Ou bien dois-je retenter ma chance dans quelques minutes ?

Réprimant un soupir exaspéré, Riana était sur le point de lancer une réplique cinglante quand elle se ravisa. C'était visiblement un gamin, et la lueur candide qui brillait dans ses yeux était touchante.

Essayant de gagner du temps, elle cala son épaisse chevelure brune derrière ses oreilles. Comment le repousser sans se montrer trop agressive ?

— Je crois en effet au coup de foudre, répliqua-t-elle d'un ton posé. Je suis persuadée que je reconnaîtrai l'homme de ma vie au premier regard.

Le jeune homme arqua un sourcil.

— Dois-je en conclure que ce n'est pas moi ?

Avec un sourire conciliant, Riana lui donna une petite tape sur l'épaule.

— Je crains que non. Désolée.

Elle reposa son verre vide sur le bar. L'homme de sa vie, elle l'avait déjà rencontré. Il était grand, blond, toujours impeccablement coiffé et d'une élégance irréprochable. Il s'appelait Stuart Brooks et résidait à Double Bay, un des quartiers les plus chic de Sydney. Stuart et elle étaient amoureux et bientôt ils s'uniraient pour le meilleur et pour le pire.

— Si je vous disais que vous êtes sublime, m'en voudriez-vous beaucoup ?

A son grand dam, Riana fut parcourue d'un long frisson. Que lui arrivait-il ? Cette voix profonde et veloutée débordait de sensualité, mais ce n'était pas une raison pour se laisser envahir par le trouble.

Et de toute façon, qu'avaient-ils donc tous, ce soir ? Si elle avait su, elle aurait accroché à son corsage un badge portant la mention « Fiancée »... Elle jeta un coup d'œil à sa main gauche. Bien sûr, ce n'était pas encore tout à fait le cas, mais ça ne devrait plus tarder.

Elle se retourna lentement. Allons bon. L'homme à la voix veloutée qui se tenait derrière elle était de surcroît extrêmement séduisant.

Avec ses cheveux châtains en bataille et sa barbe de plusieurs jours, il avait une allure qui détonnait quelque peu. Cependant, il émanait de son visage aux traits burinés et aux lèvres sensuelles un charme indéniable, accentué par l'éclat de ses yeux noisette mouchetés de minuscules pointes d'or.

— J'attends votre repartie pleine d'esprit, ajouta-t-il avec un sourire mi-enjôleur, mi-narquois.

Fascinée, Riana resta muette. Bon sang ! Pourquoi avait-elle l'esprit soudain complètement vide ? Il allait la prendre pour une demeurée.

— Pourquoi ne m'envoyez-vous pas promener, comme tous les autres ? insista-t-il en indiquant un groupe attablé dans un coin de la salle.

S'efforçant de reprendre ses esprits, Riana considéra les jeunes gens qui jetaient des coups d'œil dans leur direction. Pourquoi leurs visages lui semblaient-ils vaguement familiers ? Tout à coup, elle les reconnut. C'étaient eux qui venaient de l'aborder l'un après l'autre avec une lourdeur exceptionnelle...

Envahie par une profonde irritation, elle demanda sèchement :

— Pouvez-vous m'expliquer à quel petit jeu vous jouez ?

L'homme aux yeux d'or lui adressa un clin d'œil malicieux.

— Ne vous inquiétez pas. Ce n'est pas bien méchant. Un de nos collègues nous quitte demain parce qu'il a reçu une offre d'emploi plus intéressante, et pour s'amuser, l'un de nous lui a offert le *Manuel du parfait dragueur*.

Riana ne put s'empêcher de rire.

— Ne me dites pas que c'est là qu'ils ont puisé leur inspiration ! Parce que si c'est le cas, j'espère que votre ami n'a pas été obligé de payer pour se procurer ce chef-d'œuvre.

Son interlocuteur se frotta la nuque.

— Pour être tout à fait honnête, le chef-d'œuvre en question recommande au contraire d'éviter toutes les entrées en matière auxquelles vous avez eu droit. Cependant, nous trouvions que certaines n'étaient pas si mauvaises. D'ailleurs, il y en a qui sont devenues des classiques.

Riana ouvrit de grands yeux.

— Vous avez déjà abondamment arrosé le départ de votre collègue, je suppose ?

— Comment avez-vous deviné ? rétorqua l'homme aux yeux d'or d'un air exagérément confus. Bon, d'accord. Je veux bien admettre qu'il y a des manières plus subtiles d'aborder une femme. Mais nous avons eu envie d'essayer celles-ci avant de les éliminer définitivement de notre répertoire.

Seigneur ! Fallait-il se réjouir ou se désoler que la musique soit aussi forte ? se demanda Riana en réprimant un nouveau frisson. Chaque fois que cet homme se penchait vers elle, elle sentait son souffle chaud lui effleurer le cou. Sans parler des effluves de son parfum épicé...

— Au nom de mes collègues, je réclame votre indulgence, poursuivit-il. Ils la méritent d'autant plus que face à une femme séduisante, l'homme le plus intelligent a tendance à se métamorphoser en parfait idiot.

Riana tressaillit. Serait-il en train de suggérer qu'il la trouvait séduisante ?

— Je précise que ce commentaire ne doit rien au manuel, ajouta-t-il en s'accoudant nonchalamment au bar. Il est de mon cru. Qu'en pensez-vous ?

A son grand dam, Riana éprouva une vive déception. Comment pouvait-elle être aussi naïve ? Il se payait sa tête, bien sûr... Elle releva le menton. S'il s'imaginait qu'elle allait se laisser déstabiliser, il se trompait lourdement.

— A vrai dire, je ne vous trouve pas très convaincant, répliqua-t-elle avec une moue dédaigneuse.

Il darda sur elle un regard pénétrant.

— Vous êtes pourtant une des femmes les plus splendides que j'aie jamais vues.

Le cœur de Riana se mit à battre la chamade. Serait-il sincère ? La lueur étrange qui venait de s'allumer dans ses yeux d'or était déconcertante. Prenant un air qu'elle espérait désinvolte, elle déclara :

— Après tout, bien qu'il ne soit pas très original, je vous accorde que ce genre de compliment peut se révéler efficace.

— C'est bon à savoir. Je vais de ce pas en informer les autres.

Riana sentit son estomac se nouer. Déjà ? N'allait-elle pas avoir la satisfaction de lui annoncer qu'elle n'était pas libre et que par conséquent ni lui ni ses amis n'avaient la moindre chance de la séduire ? Elle le fusilla du regard.

— Profitez-en pour leur dire de ma part que je me serais volontiers passé de leur servir de cobaye et qu'ils ont de la chance que je me sois montrée aussi patiente.

— Vous avez raison. Laissez-moi vous offrir un verre en notre nom à tous pour nous faire pardonner.

Après avoir fait signe au barman, l'homme aux yeux d'or se tourna de nouveau vers elle et l'enveloppa d'un regard appréciateur.

Déglutissant péniblement, Riana s'agita sur son tabouret. Seigneur ! Elle aurait mieux fait de le laisser rejoindre ses amis. Pourvu que Maggie ne tarde plus ! Prolonger ce tête-à-tête n'était sans doute pas une bonne idée, finalement.

— Merci, murmura-t-elle d'une voix étranglée.

— Comment se fait-il qu'une femme aussi belle que vous boive toute seule au bar ?

Elle redressa les épaules.

— J'attends quelqu'un.

— Un homme ?

— Non. Pas dans le sens où vous l'entendez sans doute, en tout cas. C'est un rendez-vous professionnel.

L'homme aux yeux d'or promena son regard sur la salle.

— Drôle d'endroit pour parler travail. Mais à vrai dire, je suis dans le même cas que vous. J'ai rendez-vous avec une styliste dotée d'un ego démesuré qui s'imagine que je vais bouleverser mon planning pour elle. Et bien sûr, elle est en retard… Sans doute a-t-elle l'intention de faire une entrée remarquée, vêtue d'une tenue extravagante censée me prouver son génie créateur.

Riana faillit s'étrangler.

— Vraiment ? commenta-t-elle en prenant un ton désinvolte. Dans ce cas, je suppose que vous êtes un photographe réputé, dont le talent n'a d'égale que l'arrogance.

— Vous ?

Hochant la tête, elle lui tendit la main.

— Riana Andrews, styliste à l'ego démesuré et à la tenue extravagante.

13

A moins qu'il considère son tailleur pantalon noir et son corsage bleu comme excentriques, il devait être plutôt déçu, songea-t-elle avec satisfaction.

Le visage impassible, il lui serra la main.

— Joe Henderson, photographe aussi stupide qu'arrogant.

Riana sentit un long frisson remonter le long de son bras puis se répandre dans tout son corps. Elle jeta un regard inquiet autour d'elle. Que faisait donc Maggie ?

— Ravie de faire votre connaissance, dit-elle d'un ton qu'elle espérait pince-sans-rire.

— J'espère que vous ne m'en voulez pas trop.

Elle arqua un sourcil ironique.

— Pourquoi vous en voudrais-je ?

Se passant la main dans les cheveux, Joe Henderson haussa les épaules.

— Je suis désolé.

— Assez pour bouleverser votre planning ?

— Pourquoi pas ? Il paraît que vous avez beaucoup de talent et que vos robes de mariées sont éblouissantes.

— Ne comptez pas vous en tirer par des flatteries. Le seul moyen de vous racheter est d'accepter de photographier ma collection. Je sais que je vous préviens un peu tard, mais après tout, vous avez accepté de me rencontrer.

Pas question de se laisser impressionner par sa réputation ni par son physique de séducteur, se dit-elle avec fermeté.

Un sourire malicieux aux lèvres, il se caressa la barbe.

— D'accord. J'accepte de travailler pour vous. Puisque, contrairement à mes prévisions, vous n'avez pas cherché

14

à m'impressionner en jouant les stars, je vous dois bien ça.

— C'est très généreux de votre part. Ma collaboratrice prendra contact avec vous pour régler tous les détails. A bientôt, donc.

Riana descendit de son tabouret et gagna la sortie en lissant son pantalon. Un peu d'air lui ferait le plus grand bien... Puisqu'elle avait réussi à s'assurer les services de Joe Henderson, elle pouvait attendre Maggie dehors pour lui annoncer la nouvelle.

Elle se mordit la lèvre. Etait-ce vraiment une bonne nouvelle ? Si Joe Henderson était le meilleur photographe de mode de Sydney, c'était sans doute aussi le plus dangereusement sexy...

2.

A bout de souffle, Riana se précipita à l'agence qu'elle avait créée en association avec sa mère et ses sœurs. Tout allait de travers, ce matin ! Il y avait eu une coupure de courant inopinée dans son immeuble au cours de la nuit. Du coup, son réveil n'avait pas sonné, elle avait été obligée de se doucher à l'eau froide, et pour couronner le tout, elle avait raté son train… Pourquoi fallait-il que ça lui arrive aujourd'hui ?

— Désolée d'être en retard ! lança-t-elle à la cantonade en ouvrant la porte à la volée.

Elle s'immobilisa. Encombré de projecteurs, de câbles et de matériel photo, le salon douillet à l'atmosphère feutrée, d'ordinaire réservé aux clientes venues choisir leur robe de mariée, était méconnaissable.

Interrompant sa discussion avec un de ses assistants, Joe Henderson se tourna vers elle et la fusilla du regard.

— Il ne manquerait plus que vous soyez fière de vous ! Ça fait plus d'une heure que nous sommes là, mon équipe et moi. Etant donné l'importance que vous sembliez attacher à ces photos, vous pourriez au moins faire semblant de vous sentir concernée ! Allons-nous devoir encore attendre longtemps avant de commencer ?

16

— Ne vous inquiétez pas, tout le monde sera prêt dans cinq minutes, promit-elle en se dirigeant vers les lourdes tentures rouges qui masquaient l'accès au vestiaire.

— Je l'espère pour vous.

Riana inspira profondément. Pas question de se laisser déstabiliser par l'agressivité de M. Joe Henderson. Ni par ses yeux d'or au regard pénétrant...

S'il l'avait vaguement troublée l'autre soir, c'était à cause du cocktail qui lui était monté à la tête. Ce matin, il n'y avait aucune raison pour qu'elle ne maîtrise pas parfaitement la situation.

— Je vais chercher les filles, annonça-t-elle.

— Il faut que je vous parle.

Le voyant se diriger vers elle, Riana déglutit péniblement.

Seigneur ! Il était encore plus séduisant en pleine lumière que dans la pénombre du club.

Entièrement vêtu de noir, les cheveux en bataille et le visage mangé par une barbe de quelques jours, il avait l'allure d'un héros de film d'aventures. Son jean et son T-shirt moulants révélaient de longues jambes, des hanches étroites, un torse puissant et des épaules musclées. Il émanait de toute sa personne une virilité à couper le souffle et un charme irrésistible, décuplé par l'éclat de ses yeux d'or.

Riana prit une profonde inspiration.

— Qu'avez-vous à me dire ? demanda-t-elle d'un ton posé en soutenant son regard. Si vous avez l'intention de m'accabler de reproches pour mon retard, je vous rappelle que vous venez déjà de le faire à l'instant. Alors essayons de ne pas perdre plus de temps, d'accord ?

Il la considéra un long moment en silence avant de déclarer :

— Je voulais au contraire vous présenter de nouveau des excuses pour l'autre soir, en notre nom à tous.

Il indiqua d'un geste les techniciens qui s'affairaient dans la pièce.

— Nous regrettons de vous avoir accablée de plaisanteries idiotes. Nous sommes conscients du désagrément que nous vous avons causé et nous espérons que vous ne nous en tenez pas trop rigueur.

Décontenancée, Riana parvint cependant à masquer sa surprise.

— Mais non, voyons ! lança-t-elle avec une désinvolture qu'elle était loin de ressentir. Ne vous inquiétez pas, l'incident est clos. Je ne vous en veux pas du tout. D'autant plus qu'il y a déjà un homme merveilleux dans ma vie.

Pourquoi éprouvait-elle le besoin de lui donner cette précision ? se demanda-t-elle aussitôt. Etait-ce parce qu'elle avait un mal fou à surmonter le trouble que ses yeux d'or provoquaient en elle ?

— Vraiment ?

— Bien entendu.

Que s'imaginait-il ? Qu'elle lui racontait des histoires pour l'impressionner, se demanda-t-elle avant d'ajouter :

— J'ai d'ailleurs rendez-vous avec lui ce soir. Au D'Amore. Vous savez, ce restaurant réputé pour son atmosphère romantique et considéré comme le cadre idéal pour certaines demandes très spéciales...

Il plissa le front.

— Que voulez-vous dire ?

18

Riana réprima un soupir. Comment un photographe de mode pouvait-il ignorer que le célèbre restaurant italien était un des lieux de prédilection de la haute société de Sydney pour les demandes en mariage ?

— Stuart m'a invitée là-bas pour me demander de m'épouser, expliqua-t-elle.

— Oh. Et vous avez l'intention d'accepter ?

— Oui, bien sûr ! Mes deux sœurs sont mariées, vous savez.

Il arqua un sourcil.

— Et alors ?

Décidément, il ne connaissait rien à la vie ! songea Riana avec exaspération.

— Alors il est temps que mon tour arrive, déclara-t-elle d'un ton grandiloquent.

— Ah. Je vais peut-être vous paraître vieux jeu, mais je croyais qu'on se mariait avant tout par amour.

Riana pinça les lèvres. Insinuait-il qu'elle n'était pas amoureuse ? Quel toupet !

Croisant les bras, elle plongea son regard dans le sien.

— De quel droit vous mêlez-vous de ma vie privée ?

Il haussa les épaules.

— Je suis entièrement d'accord pour m'en tenir aux problèmes purement professionnels. Si vous vous occupiez des mannequins afin que je puisse commencer à travailler ?

Sur ces mots, il pivota sur lui-même et s'éloigna.

Riana serra les dents. Le pire, c'était qu'il avait raison. Comment en était-elle arrivée à lui confier un secret qu'elle n'avait révélé ni à sa mère ni à ses sœurs ? Etait-elle en train de devenir folle ?

Si elle avait fait appel à Joe Henderson, c'était pour qu'il photographie sa collection, pas pour lui raconter sa vie ! Quel besoin avait-elle eu de lui parler de Stuart ?

Peu importait. Pour l'instant, il était urgent d'aller voir pourquoi les mannequins n'étaient pas encore prêts, songea Riana en gagnant le vestiaire.

C'était incompréhensible. Il y avait déjà deux jours que les robes étaient en place sur leurs cintres et Maggie lui avait assuré qu'elle serait là dès 7 heures pour accueillir les jeunes filles, ainsi que la maquilleuse et la coiffeuse.

Quel était le problème ? se demanda-t-elle en constatant avec soulagement que tous les mannequins étaient là. Coiffées et maquillées, les jeunes femmes longilignes bavardaient tranquillement, enveloppées dans leurs peignoirs en éponge. Pourquoi ne s'étaient-elles pas habillées ? Sur les portants, les robes étaient toujours dans leur housse.

— Maggie ?

Maggie passa la tête par la porte de l'atelier de couture.

— Dieu merci, tu es là, Riana ! Personne ne sait quelle robe mettre.

— Quoi ? C'est pour ça que j'ai dû subir les foudres du photographe de mode le plus arrogant de la planète ?

— Et le plus réputé du pays, fit valoir Maggie d'un air penaud.

— Je sais. C'est d'ailleurs pour cette raison que j'ai réprimé une furieuse envie de lui tordre le cou.

Riana décrocha une robe et la tendit au mannequin le plus proche.

— Mettez ça.

20

La jeune femme laissa glisser son peignoir à terre et enfila la robe. Riana ajusta le corsage et le laça.

— Maggie, passe-moi le diadème et le voile correspondants, s'il te plaît.

Se hissant sur la pointe des pieds, Riana mit le diadème en place sur la tête du mannequin, puis elle y fixa le voile.

— Vous pouvez y aller, dit-elle quand elle eut terminé. Ne faites pas attendre plus longtemps sa seigneurie Joe Henderson.

— Il a peut-être des défauts, mais c'est vraiment le meilleur, insista Maggie. As-tu vu son travail ?

Riana prit une autre robe sur le portant et fit signe à une grande blonde aux yeux violets de s'approcher.

— Oui, bien sûr. C'est ce qui m'a décidée à fixer mon choix sur lui, figure-toi. Je reconnais qu'il a du talent, mais humainement, il ne vaut pas un clou. Je n'ai jamais rencontré un homme aussi imbu de lui-même.

— Joe se montre parfois autoritaire pendant les séances parce que c'est un perfectionniste, intervint le mannequin en enfilant sa robe. La première fois qu'on travaille avec lui ça surprend un peu, mais quand on le connaît mieux, on s'aperçoit qu'il est sensible et généreux.

— Ravie de l'apprendre, commenta Riana d'une voix morne.

Elle remonta la fermeture Eclair de la robe en roulant des yeux. Le photographe connaissait sans doute intimement tous les mannequins du pays...

— Je vous assure, insista la jeune femme. C'est un homme très attentif et plein de compassion. Nous savons toutes que nous pouvons compter sur lui en cas de problème.

Riana réprima un soupir. Pourquoi cette jeune femme tenait-elle donc tant à lui chanter les louanges de Joe Henderson ? Il pouvait bien être l'homme le plus fantastique du monde, elle s'en moquait éperdument. Ce soir, Stuart Brooks allait la demander en mariage.

Tandis qu'elle mettait le voile en place, le mannequin poursuivit :

— Joe est venu en aide à une fille qui avait des problèmes de drogue. Il l'a soutenue pendant sa cure de désintoxication et il a même réussi à la réconcilier avec sa famille. Elle s'était querellée avec ses parents parce qu'elle avait abandonné ses études pour travailler dans la mode.

— En tout cas, vous plaidez admirablement sa cause.

Avec un sourire factice, Riana invita la gracieuse blonde à gagner le salon où se déroulait la séance de photos.

Pourvu que les filles ne se sentent pas toutes obligées de lui faire l'éloge de Joe Henderson ! songea-t-elle en faisant signe à la suivante de la rejoindre. Elle n'avait aucune envie de penser à lui plus que nécessaire. Ni de se perdre en conjectures sur la nature de ses relations avec les mannequins…

— En tout cas, moi, je le trouve splendide, dit Maggie en prenant une robe sur le portant.

— Vraiment ? Eh bien, ce n'est pas le genre de beauté qui m'attire. Je trouve Stuart nettement plus séduisant, répliqua Riana d'un ton ferme.

Pas question d'avouer à qui que ce soit qu'elle était loin d'être insensible au charme de Joe Henderson…

— Tu le vois toujours ? demanda Maggie en aidant le mannequin à enfiler la robe. Justement, comme tu ne m'as pas parlé de lui depuis un moment, je me demandais où vous en étiez.

Riana remonta la fermeture Eclair de la robe et fit bouffer la jupe en satin.

— Tout va très bien. Il a été accaparé par son travail toute la semaine dernière, mais je le vois ce soir.

— Alors je te souhaite une excellente soirée, commenta Maggie avec un manque d'enthousiasme manifeste. Même si j'ai du mal à comprendre comment tu peux apprécier la compagnie d'un homme qui ne s'intéresse qu'au cours de la bourse.

— Tu exagères. Il se passionne pour des milliers de choses.

— Je serais curieuse de savoir lesquelles.

Riana ne daigna pas répondre. Elle savait parfaitement que Maggie n'appréciait pas Stuart. Mais quelle importance ? Ce n'était pas elle qui allait se marier avec lui.

Mme Riana Brooks… Ça sonnait vraiment très bien, songea-t-elle en réprimant un sourire de satisfaction.

Il était temps qu'elle songe à fonder un foyer. Elle en avait assez de vivre seule, assez des rencontres sans lendemain, assez des plats surgelés pour une personne.

Elle allait se marier. Avant la fin de l'année. Avec Stuart Brooks.

Son souhait le plus cher allait bientôt être exaucé ! songea Riana, le cœur battant, en poussant la porte du restaurant. Depuis les fiançailles de Tara, sa sœur aînée, elle rêvait de cette soirée.

Le D'Amore était considéré à Sydney comme le lieu idéal pour demander la main d'une jeune fille. Tara, qui était conseillère en demande en mariage, le recommandait systématiquement à ses clients.

Riana frissonna d'anticipation. Pas de doute, Stuart était très amoureux d'elle et en plus, il avait de la classe ! C'était vraiment le mari idéal.

Allait-il insister pour fixer le mariage au printemps ? Avait-il l'intention de l'emmener en voyage de noces en Europe ? S'installeraient-ils dans son appartement de Double Bay ou bien achèteraient-ils une maison dans la banlieue nord ?

Riana réprima un sourire en entrant d'un pas nonchalant dans le bar, au son de la musique classique diffusée en sourdine. Nul doute qu'en la voyant, Stuart allait être impressionné.

La robe de soie rouge qu'elle s'était confectionnée après le mariage de sa sœur était somptueuse. A la fois sexy et d'une grande élégance, elle moulait ses courbes féminines et dénudait ses épaules, mettant en valeur son décolleté. Un fin collier de perles auquel était accroché un petit cœur en or ajoutait une touche de romantisme à sa tenue.

Malheureusement, Stuart lui tournait le dos, constata-t-elle avec un pincement au cœur. Assis au bar, il tenait dans la main un double Scotch. A moins que ce ne soit un triple ?

— Chéri ? dit-elle en posant une main sur son épaule.

Alors qu'il se tournait vers elle, elle se pencha pour l'embrasser. Allons bon. Son haleine empestait l'alcool. Combien de verres avait-il bus ? Peut-être était-il si ému qu'il cherchait du courage dans le whisky.

— Bonsoir, Riana.

Il jeta un coup d'œil à sa montre.

— Tu es en retard.

— Tu sais bien que le manque de ponctualité est mon plus gros défaut, répliqua-t-elle avec un sourire faussement contrit.

Il eut une moue réprobatrice.

— Et toi, tu sais que je déteste attendre. Si nous allions dîner ?

Elle hocha la tête, tandis qu'il la prenait par le bras. Apparemment, il n'était pas de très bonne humeur… Mais peut-être jouait-il la comédie afin qu'elle soit encore plus surprise au moment où il ferait sa demande.

— Cet endroit est fantastique, dit-elle d'un ton enjoué.

Emettant un grognement indistinct, il l'entraîna vers le restaurant.

Le maître d'hôtel les conduisit jusqu'à une petite table située au fond de la salle. Sur la nappe de lin blanc était posé un vase à long col contenant une rose rouge, constata Riana, le cœur battant.

Stuart se laissa tomber sur sa chaise et promena son regard sur elle, tandis qu'elle s'asseyait à son tour.

— J'ai quelque chose d'important à te demander, déclara-t-il sans préambule.

Riana déglutit péniblement. Déjà ? Certes, elle aurait apprécié un compliment sur sa tenue, mais sans doute était-ce bon signe qu'il soit aussi pressé…

Un avenir radieux s'ouvrait devant elle. Elle allait se marier et vivre enfin la vie dont elle rêvait depuis toujours, au côté d'un homme distingué appartenant à la bonne société de Sydney.

25

— Je t'écoute, murmura-t-elle d'une voix altérée par l'émotion.

Allait-il se mettre à genoux comme au cinéma ? Cachait-il la bague dans sa poche ? Avait-il prévu de faire servir du champagne dès qu'elle aurait dit oui ?

Il posa les deux coudes sur la table.

— Je voudrais t'emmener en voyage.

Interloquée, Riana resta muette. Peut-être était-ce une métaphore pour lui signifier qu'il l'aimait d'un amour infini et qu'il voulait faire de leur vie commune une grande aventure. A moins qu'il ne fasse allusion à leur lune de miel…

Tout en faisant signe au serveur, Stuart poursuivit.

— Ma famille possède un chalet en Suisse et je compte y passer deux semaines. J'aimerais que tu viennes avec moi.

— C'est très… romantique.

Interloquée, Riana but une gorgée d'eau.

Après tout, pourquoi pas ? Il y avait de belles montagnes en Suisse. Rien que tous les deux dans un chalet sous la neige… Les soirées devant un feu de cheminée… Ce serait vraiment romantique en diable.

— Bien sûr, nous aurons de la compagnie, précisa Stuart en allumant une cigarette.

Riana eut le souffle coupé. Recevoir un coup de poing dans l'estomac devait faire à peu près le même effet…

— De la compagnie ?

— J'ai également invité quelques amis.

— Ils sont déjà au courant ?

— Oui, bien sûr.

Le cœur serré, Riana déglutit péniblement. Elle était donc la dernière à être informée ?

26

— Si je comprends bien, c'est un voyage en groupe, commenta-t-elle d'un ton qu'elle espérait léger.

— Mais non, n'exagère pas ! Nous ne serons que huit. Nous allons bien nous amuser, tu verras. Mes amis sont très sympathiques. Et quand nous aurons envie d'un peu d'intimité… nous pourrons facilement nous isoler.

La gorge nouée, Riana le fixa avec effarement.

Au même instant, le serveur s'approcha et Stuart commanda un whisky. Incapable de prononcer un mot, Riana se contenta de secouer la tête pour signifier qu'elle ne voulait rien boire.

— Ça n'a pas l'air de t'enthousiasmer, commenta Stuart quand le serveur se fut éloigné. Tu n'aimes pas la montagne ? J'ai vraiment envie que tu viennes. J'apprécie beaucoup ta compagnie, tu sais. Tu es tellement marrante.

— Marrante ? répéta Riana d'une voix blanche.

— Oui, j'apprécie beaucoup ton humour. On ne s'ennuie jamais avec toi. C'est toujours la fête. Sans compter que tu es l'une des filles les plus sexy que je connaisse, ajouta-t-il avec un clin d'œil égrillard en lui prenant la main. Tu as vraiment tout pour plaire… Que se passe-t-il ? Pourquoi fais-tu cette tête ?

Abasourdie, Riana fixait la rose d'un regard vide.

— Je… je pensais… que notre relation était en train de devenir plus… sérieuse, bredouilla-t-elle d'une voix étranglée.

Ce n'était pas possible. C'était un cauchemar. Elle allait se réveiller. Stuart Brooks n'était pas un mufle. Il avait de la classe et de l'éducation.

Elle se redressa sur son siège. En tout cas, il n'était pas question d'accepter de l'accompagner en Suisse ou ailleurs tant qu'elle ne saurait pas exactement quels étaient ses sentiments à son égard.

— Qu'entends-tu par « plus sérieuse » ? demanda-t-il, visiblement perplexe.

— Je pensais que tu m'avais invitée ici pour me demander en mariage.

Voilà. C'était dit. Elle allait être fixée. Le cœur battant à tout rompre, Riana observa Stuart avec attention.

Il arqua un sourcil, pinça les lèvres, puis éclata d'un rire sonore.

— Tu me fais marcher, n'est-ce pas ?

Riana eut l'impression qu'il venait de la poignarder en plein cœur.

— Je pensais que tu m'aimais et que tu voulais partager ta vie avec moi.

Stuart but une gorgée de whisky.

— Ecoute, j'ai envie de partager des tas de choses avec toi. Je te l'ai dit, je trouve ta compagnie extrêmement agréable. Mais de là à nous marier… Voyons Riana, tu n'es pas le genre de fille qu'on épouse !

Riana réprima un cri de détresse. Ce n'était pas un cauchemar. C'était la réalité dans toute son horreur.

Quelle idiote ! Elle s'était bercée d'illusions. Stuart Brooks ne prenait pas leur relation au sérieux. Pour lui elle n'était qu'une fille « marrante » avec qui prendre du bon temps.

Elle ne serait jamais Mme Brooks.

Ni Mme quoi que ce soit, d'ailleurs. Elle n'était pas le genre de fille qu'on épousait…

Mon Dieu ! Ce n'était pas la première fois qu'elle se ridiculisait en ouvrant son cœur à un homme qui n'en demandait pas tant. Mais jamais encore elle n'avait subi une telle humiliation. Dire qu'elle trouvait que Stuart Brooks avait de la classe…

Il n'était pas question de rester une seconde de plus assise à la table de ce mufle. Même si ses jambes semblaient hors d'état de la porter…

Au prix d'un immense effort, elle parvint à se mettre debout. Puis, refoulant ses larmes, elle quitta le restaurant dans un état second.

3

Joe régla le trépied de son appareil et vérifia les angles de prise de vue.

La soirée était très avancée et il avait eu de la chance que Tara Andrews soit encore là pour lui ouvrir quand il était arrivé, une heure plus tôt. Depuis elle était partie, après lui avoir donné des consignes pour fermer la boutique une fois qu'il aurait terminé de préparer son matériel pour la séance du lendemain matin.

La ressemblance entre Tara et Riana était frappante, mais l'aînée des deux sœurs semblait nettement plus posée et sereine que sa benjamine, se dit-il en faisant quelques mouvements d'assouplissement pour tenter de se détendre.

Pourquoi se sentait-il aussi noué ? La séance de photos s'était pourtant déroulée sans incident. L'éclairage était bon, les mannequins très professionnels et les robes splendides. Riana Andrews avait un talent indiscutable.

Il regarda une nouvelle fois à travers l'objectif. Alors pourquoi éprouvait-il cette étrange insatisfaction ? Qu'est-ce qui clochait ? Impossible de mettre le doigt dessus…

Il secoua la tête. En tout cas, il fallait absolument qu'il règle le problème ce soir pour que tout soit fin prêt pour la séance du lendemain. Certes, il aurait préféré passer sa soirée ailleurs, mais il tenait à faire honneur à la collection de Riana.

— Veux-tu m'épouser ?

Au son de la voix féminine, Joe tressaillit et pivota sur lui-même.

Riana se tenait sur le seuil de la pièce, vêtue d'une superbe robe rouge à fines bretelles, qui épousait la courbure de ses hanches et dévoilait le galbe parfait de ses épaules. Les cheveux ébouriffés, la mine boudeuse, elle fixait sur lui un regard vitreux.

Appuyée contre le chambranle de la porte, manifestement chancelante, elle tenait par le goulot une bouteille à moitié vide.

En voyant l'étiquette de cette dernière, Joe fronça les sourcils. De la vodka ? Que se passait-il ?

Soudain, elle s'avança vers lui d'un pas mal assuré.

— Je t'ai demandé… si tu voulais m'épouser, insista-t-elle d'une voix pâteuse.

Joe secoua la tête. De toute évidence, la jeune femme était complètement ivre. Qu'avait-il bien pu lui arriver ?

— Que… ?

— Aurais-tu un problème d'audition ? coupa-t-elle en pointant la bouteille sur lui.

Enfonçant les mains dans ses poches, il répondit avec circonspection :

— Non… Aucun.

— Alors ? J'attends.

Bon sang ! Que faire ? se demanda Joe avec embarras. Riana n'était pas dans son état normal et à en juger par son visage défait, mieux valait ne pas risquer de la blesser par une réponse trop directe.

— Pourquoi diable voudriez-vous… voudrais-tu m'épouser ?

— Eh bien, parce que…

La voix de Riana se brisa et elle resta silencieuse un moment avant de poursuivre.

— Parce que Stuart ne m'a pas demandée en mariage. Il voulait juste m'emmener skier avec lui en Suisse… pour m'avoir sous la main quand il en aurait assez de s'amuser avec ses amis.

Joe crispa la mâchoire. Mon Dieu ! Quelle déception elle avait dû éprouver ! Et quelle humiliation… Elle qui semblait si sûre d'elle…

Secouant la tête, Riana s'essuya les yeux du dos de la main.

— Il a dû se rendre compte que j'étais déçue, parce qu'il m'a demandé ce qui se passait.

Elle poussa un profond soupir.

— Alors je lui ai avoué que je croyais qu'il allait me demander en mariage.

Joe passa une main dans ses cheveux. La malheureuse… C'était encore pire que ce qu'il pensait.

— Et alors ?

Elle but une gorgée de vodka au goulot, s'étrangla et se mit à tousser.

Comment pouvait-elle boire de l'alcool pur ? se demanda Joe en réprimant une grimace. Si elle avait l'intention de s'abrutir complètement, elle était sur la bonne voie.

— Ecoute, Riana…

— Alors il a éclaté de rire et il m'a demandé si je

32

plaisantais. D'après lui, je ne suis pas le genre de fille qu'on épouse.

Joe réprima un juron. Ce type était une véritable ordure ! Comment pouvait-on être assez mufle pour insulter une femme de la sorte ? Briser le cœur de Riana ne lui avait donc pas suffi ? Pourquoi avait-il éprouvé le besoin de l'humilier avec une telle cruauté ? S'il tenait ce Stuart, il lui ferait passer un mauvais quart d'heure…

S'efforçant de maîtriser son indignation, Joe cherchait désespérément des paroles réconfortantes quand il vit Riana boire une autre rasade de vodka, puis avancer de nouveau en titubant.

Avant qu'il ait eu le temps de se précipiter vers elle, elle s'appuya au dossier d'une chaise.

— Je suis le vilain petit canard de la famille. Mes deux sœurs sont mariées, mais moi je finirai ma vie vieille fille.

Le cœur serré, Joe ne savait toujours pas quoi dire. Jamais il ne s'était jamais trouvé dans une telle situation et à vrai dire, il s'en serait bien passé.

— Riana…

Elle fit encore quelques pas vers lui d'une démarche vacillante.

— Moi qui rêve depuis toute petite du jour où l'homme de ma vie me conduira à l'autel… Apparemment, c'est un rêve impossible, puisque je n'ai pas les qualités requises pour faire une bonne épouse.

— Vous… Tu ne vas tout de même pas croire ce que t'a dit ce goujat ! protesta Joe tout en surveillant avec appréhension la progression de Riana parmi le matériel et les fils qui encombraient la pièce.

Elle brandit la bouteille en dardant sur lui un regard noir.

— Bien sûr que si ! C'est lui qui a raison. La preuve, c'est que je me retrouve seule une fois de plus. Et pourtant, je ne semble pas déplaire aux hommes. Sais-tu combien de petits amis j'ai eus ?

— Non, mais je suis certain que tu as en effet beaucoup de succès auprès des hommes. Tu es une femme extrêmement séduisante.

Du moins pouvait-il la rassurer en toute sincérité sur ce point, songea Joe. Sans être d'une beauté classique, Riana possédait un charme infini qui la rendait très attirante. D'autant plus qu'elle avait un corps splendide d'une sensualité inouïe...

— Merci pour le compliment, dit-elle d'un air désabusé.

Elle but une nouvelle gorgée de vodka.

— Mais pour en revenir à mes petits amis, je ne sais pas moi non plus combien j'en ai eu. A vrai dire je n'ai jamais compté. C'est si déprimant... En tout cas, aucun ne m'a demandée en mariage.

— Cependant ce ne sont pas eux qui t'ont quittée chaque fois, je suppose ? Il t'est sûrement arrivé de prendre l'initiative de la rupture.

Quel homme sensé aurait envie de se séparer d'elle ? se demanda Joe en se rapprochant imperceptiblement.

— Bien sûr ! répondit-elle d'une voix de plus en plus pâteuse. C'est même toujours moi qui m'en vais. Je reconnais la petite lueur dans leur regard quand ils me mentent. Alors je prends les devants.

Relevant le menton d'un air de défi, elle oscilla dangereusement, à quelques centimètres d'un tas de câbles électriques enchevêtrés.

Joe bondit en avant et l'attrapa par les épaules. Allons bon. Sa peau était encore plus douce qu'il ne l'imaginait… A son grand dam, il sentit son désir s'éveiller.

S'efforçant de l'ignorer, il entraîna Riana vers les marches du podium et la fit asseoir avec précaution. Elle sentait délicieusement bon, constata-t-il en crispant la mâchoire. Un parfum fruité, frais et sensuel à la fois.

Quant à sa peau, elle était à la fois brûlante et merveilleusement veloutée. Une véritable invitation aux caresses…

Allons, du calme. La dernière chose dont elle avait besoin c'était qu'il profite de la situation ! se morigénat-il en réfrénant son envie de faire courir ses doigts sur le décolleté satiné. Cependant, si ces magnifiques yeux sombres continuaient de le fixer avec une telle intensité, il allait avoir beaucoup de mal à conserver son sang-froid…

Elle semblait si perdue. Que faire pour la réconforter et lui redonner confiance en elle ?

Il l'installa le plus confortablement possible sur les marches recouvertes de moquette. A combien de clientes rayonnantes de bonheur avait-elle fait essayer dans cette même pièce les robes de mariée qu'elle créait avec tant de talent ? Pas étonnant qu'elle rêve de se marier à son tour…

Il s'assit à côté d'elle. Avant tout, il fallait absolument réussir à lui prendre cette bouteille.

— Je boirais bien un petit coup moi aussi, suggéra-t-il en prenant un ton désinvolte.

Se laissant aller contre Joe, Riana lui tendit la bouteille avec un sourire enjôleur.

— J'aime partager. C'est une qualité essentielle pour une épouse.

S'efforçant d'ignorer l'excitation que faisait naître en lui le contact de ce corps souple, Joe but une gorgée de vodka.

— Tu n'as toujours pas répondu à ma question, dit-elle avec une moue boudeuse. Veux-tu m'épouser, oui ou non ?

Bon sang ! Comment se sortir de ce guêpier sans la blesser ?

— Pourquoi moi ? demanda-t-il en dissimulant la bouteille derrière sa jambe, hors de portée de Riana. On se connaît à peine.

Elle haussa les épaules.

— Pourquoi pas ?

Ne sachant que dire, Joe garda un silence prudent.

— Tu veux vraiment savoir pourquoi ? demanda-t-elle en se pressant contre lui.

— Oui.

— Parce que si toi tu refuses de m'épouser, aucun homme n'acceptera jamais.

Joe réprima un juron. Charmant ! Avait-elle donc une si piètre opinion de lui ? Vexé malgré lui, il s'écarta légèrement.

— Je n'ai jamais vu un homme aussi mal fagoté et mal rasé, ajouta-t-elle en caressant sa barbe.

Au contact de ses doigts, Joe sentit le feu gronder dans ses veines. Il déglutit péniblement. Quoi qu'il arrive, il devait garder son sang-froid. Riana n'était pas dans son état normal et il ne fallait pas lui en vouloir pour ses propos.

Ni céder au désir brûlant qu'elle lui inspirait…

D'un ton qu'il espérait léger, il demanda :

— Pourquoi estimes-tu avoir besoin d'un mari pour être heureuse ?

Quelle question idiote ! se dit-il aussitôt. Ce n'était pas en remuant le couteau dans la plaie qu'il allait la réconforter…

— Tout le monde sait que la vie n'a pas la même saveur quand on n'a personne avec qui la partager, répondit-elle d'une voix tremblante.

Se laissant aller contre lui, elle posa la tête sur son épaule.

— Et comment fonder une famille quand on est seul ?

Impossible de la contredire, reconnut Joe intérieurement. Alors comment la réconforter sans lui promettre le mariage ? Décidément, la situation était inextricable…

Riana leva vers lui un regard éteint.

— Eh bien, acceptes-tu de m'épouser ou vais-je être obligée de me consoler avec ma bouteille ?

Se redressant brusquement, elle regarda autour d'elle.

— Où est-elle passée ?

— Tu ne crois pas que tu as assez bu ? L'alcool ne résoudra rien.

— Peut-être, mais ça me fait du bien.

Elle se mit à fouiller dans le sac qu'elle portait en bandoulière, comme si celui-ci était assez grand pour contenir la bouteille.

— Es-tu consciente que l'alcool peut te tuer ? insista Joe, l'estomac noué.

Haussant les épaules, elle retourna son sac et le vida sur le sol.

— Et alors, quelle importance ?

Joe contempla les objets éparpillés par terre. Trois tubes de rouge à lèvres, une petite bombe de laque, une brosse à cheveux, un téléphone portable, des pièces de monnaie, des tickets de caisse...

Soudain, son regard s'arrêta sur des clés de voiture et l'image de sa sœur envahit son esprit, lui déchirant le cœur. Une rupture mal supportée, la fuite dans l'alcool, des clés de voiture...

L'immense douleur qu'il tentait d'étouffer depuis un moment le submergea, en même temps qu'un insupportable sentiment de culpabilité.

Bon sang ! Il n'était pas question de rester les bras croisés et laisser Riana commettre la même erreur que sa sœur. Surtout quand il savait exactement quoi faire pour cela.

Saisissant Riana par le bras, il s'exclama :

— Oui !

— Pardon ?

Il prit une profonde inspiration.

— Tu voulais une réponse. C'est oui.

Elle plissa le front.

— Oui quoi ?

Prenant son visage dans ses mains, il plongea son regard dans le sien et déclara d'un ton solennel :

— Oui, je veux t'épouser.

Les yeux de Riana étincelèrent, tandis qu'un sourire ravi étirait ses lèvres pulpeuses.

— Tu es sérieux ?

— Oui.

Certes, ce n'était pas très élégant de proférer un mensonge aussi éhonté. Mais après tout, c'était pour la bonne cause. De toute façon, dès demain à son réveil, quand Riana serait dégrisée, elle recouvrerait la raison et se demanderait comment elle avait pu envisager de se marier avec un étranger.

Mais du moins d'ici là lui aurait-il évité de risquer stupidement sa vie. N'était-ce pas l'essentiel ?

Se jetant à son cou, elle se plaqua contre lui.

— Oh, je suis si heureuse !

A son grand dam, Joe fut transpercé par un éclair de désir. C'était si bon de la serrer dans ses bras ! Son corps était souple et brûlant contre le sien. Et curieusement, ce parfum de fraise était grisant...

— Alors tu trouves que je suis digne d'être épousée, finalement ? chuchota-t-elle à son oreille.

Electrisé par la caresse de son souffle chaud, il s'efforça une fois de plus de se raisonner. Riana était ivre et il n'était pas question de profiter de la situation. Elle avait déjà suffisamment souffert ce soir à cause d'un mufle. Inutile d'en rajouter. Il devait se conduire en gentleman et se concentrer sur son unique objectif. Lui éviter le destin tragique de sa sœur.

S'exhortant au calme, il prit une inspiration profonde, la lâcha et tenta de s'écarter d'elle. Avec un gémissement de protestation, elle s'accrocha à lui.

Bon sang... Comment résister ? Vaincu, il referma les bras sur elle et la serra contre lui avec délectation. Après tout, il fallait bien qu'il joue son rôle avec un minimum de conviction. Il n'était pas question de lui donner l'impression qu'il se moquait d'elle. Elle ne devait avoir aucun doute sur sa sincérité…

— Où est ma bague ?

Joe tressaillit.

— Pardon ?

— Pour que nos fiançailles soient officielles, il faut que tu m'offres une bague, murmura-t-elle avec un sourire enjôleur.

Bon sang. Où trouver une bague ?

Joe fouilla ses poches. Rien, bien sûr. Les miracles n'existaient que dans les contes de fées, et contrairement aux apparences, ce qu'il était en train de vivre n'en était pas vraiment un…

Pris d'une inspiration subite, il dévissa une des tiges métalliques du trépied et retira la rondelle de cuivre empêchant le desserrage du boulon. Avec un peu de chance, cet anneau de fortune serait à la bonne taille…

Il tendit la rondelle à Riana.

— Tu n'es pas très romantique, protesta-t-elle avec une moue d'enfant gâtée. Il faut respecter la tradition. D'abord, tu dois t'agenouiller.

— Très bien.

Joe s'exécuta et en profita pour faire disparaître la bouteille de vodka en la recouvrant subrepticement d'un chiffon qui traînait par terre.

Levant les yeux vers Riana, il constata avec embarras que son visage rayonnait de joie et que des larmes de bonheur perlaient à ses paupières.

N'avait-il pas agi à la légère en décidant de jouer cette comédie ? se demanda-t-il avec inquiétude. Ne risquait-il pas au bout du compte d'aviver la souffrance de la jeune femme au lieu de l'apaiser ?

De toute façon, il était trop tard pour reculer.

L'esprit confus, il glissa lentement l'anneau de cuivre au doigt de la jeune femme.

— Avec cette alliance..., murmura-t-elle les yeux fermés.

— Non, c'est ta bague de fiançailles, rectifia-t-il précipitamment. Pour l'alliance, il faut encore attendre un peu. Le moment n'est pas encore venu.

Et en l'occurrence, il ne viendrait jamais. Certes, il allait bientôt se marier, mais pas avec Riana Andrews...

Au même instant, celle-ci bascula en arrière, et il eut tout juste le temps de bondir pour la retenir avant qu'elle s'effondre par terre.

Quel dommage qu'une jeune femme aussi séduisante et talentueuse se mette dans un état pareil à cause d'un homme qui ne la méritait pas ! songea-t-il en la soulevant dans ses bras, profondément endormie.

Pourvu qu'au matin elle retrouve toute sa raison...

4.

Riana ouvrit les yeux avec précaution et porta la main à son front. Seigneur ! Quelle migraine atroce ! Qu'avait-elle bu ? Jamais elle n'avait eu la bouche aussi pâteuse.

Regardant autour d'elle, la jeune femme constata qu'elle était allongée sur le canapé de son bureau, recouverte d'échantillons de soie en guise de couverture.

Que faisait-elle là ?

Elle était revenue à la boutique la nuit précédente, se rappela-t-elle confusément… Mais avant, que s'était-il passé ?

Tout à coup, un immense désespoir la submergea. Stuart n'avait jamais eu l'intention de se marier avec elle !

Elle étouffa un sanglot. Il lui avait même affirmé qu'elle n'était pas le genre de fille qu'on épousait…

Les yeux fixés sur le plafond, Riana laissa échapper un gémissement. Pour quelle raison ne parvenait-elle pas à construire une relation durable ? Pourquoi ses petits amis refusaient-ils toujours de s'engager ? Dire qu'avec Stuart, elle avait vraiment cru que ce serait différent…

Elle secoua la tête. Quelle idiote ! Comment avait-elle pu le trouver digne d'intérêt ? Pire encore, comment avait-elle pu envisager de passer sa vie avec lui ? Un goujat qui n'avait pas hésité à lui signifier froidement qu'elle n'était pas assez bien pour lui !

Elle se redressa lentement, luttant contre la nausée, une main sur l'estomac, une autre sur le front.

Dès qu'elle fut assise sur le bord du canapé, le sol se mit à tanguer. Seigneur ! Elle avait dû boire des litres d'alcool pour se sentir aussi mal. Si seulement elle parvenait à se rappeler ce qu'elle avait fait en sortant du restaurant...

S'appuyant d'une main contre le mur, elle ferma les yeux. Du moins avait-elle atterri ici, à Satin Blanc, l'entreprise familiale. Après tout, à en juger par son état, elle aurait aussi bien pu s'écrouler dans la rue. Ce qui aurait été plutôt fâcheux pour l'image d'une styliste pleine d'ambition qui se voyait au seuil d'une grande carrière...

Les coudes sur les genoux, elle se prit la tête à deux mains dans l'espoir d'atténuer la douleur lancinante qui lui vrillait les tempes. Elle n'osait même pas imaginer la mine épouvantable qu'elle devait avoir ! Par ailleurs, il fallait espérer qu'il lui restait une tenue de rechange dans son placard. Elle ne trouverait jamais la force de rentrer chez elle se changer.

Elle jeta un coup d'œil à sa montre. La situation avait au moins un aspect positif. Ce matin, Joe Henderson ne pourrait pas lui reprocher d'être en retard. Elle avait hâte de voir la tête qu'il ferait à son arrivée en voyant qu'elle était déjà là.

Joe...

Elle fronça les sourcils. Pourquoi avait-elle l'impression que quelque chose lui échappait à son sujet ? Elle haussa les épaules. Peu importait. Aujourd'hui, c'était la dernière séance de photos. Dès demain, elle pourrait oublier cet obsessionnel arrogant et débraillé.

Riana se leva et gagna le cabinet de toilette en titubant. Allons bon. C'était comme si tout l'alcool qu'elle avait bu dans la nuit s'était solidifié dans ses jambes… Celles-ci pesaient des tonnes et chacun de ses pas semblait résonner dans tout son corps, faisant courir des vibrations douloureuses de la pointe de ses orteils à la racine de ses cheveux…

Une nausée soudaine la courba en deux mais par miracle, elle parvint à la réprimer.

Elle alluma la lumière et ferma aussitôt les yeux. Quel supplice ! Comment allait-elle trouver la force de tenir debout, les yeux ouverts, jusqu'à la fin de la journée ? Malheureusement, elle n'avait pas le choix, se dit-elle en soupirant.

Rouvrant les paupières avec précaution, elle jeta un coup d'œil dans le miroir. Catastrophe. Ses cheveux étaient ébouriffés comme si un oiseau hyperactif avait entrepris d'y faire son nid pendant la nuit…

Et bien sûr, son rimmel avait coulé.

Quant à son teint, il était aussi terreux que pouvait l'être un teint mat dans les mauvais jours. Or c'était un très mauvais jour…

Ce dont elle avait besoin, c'était d'une bonne douche bien chaude, qui la revigorerait et effacerait de son esprit tous les propos insultants de Stuart. Oui, elle était digne d'être épousée, et elle ne se laisserait pas déstabiliser par un grossier personnage qui osait prétendre le contraire.

Un jour, elle aussi aurait le bonheur de se marier en robe blanche avec un homme qui l'aimerait sincèrement.

Elle ouvrit le robinet et mit les mains sous le jet d'eau froide dans l'intention de s'asperger le visage. Un reflet cuivré attira son attention. Elle tressaillit.

Une bague ? A son annulaire gauche ? Sans doute une hallucination.

Elle toucha l'anneau du bout des doigts. Non, la bague était bien réelle et elle avait tout d'une alliance… Riana secoua la tête avec autant d'énergie que le lui permettait sa migraine. C'était impossible ! On ne pouvait pas se marier en quelques heures en pleine nuit à Sydney. On n'était pas à Las Vegas !

Elle était bien placée pour le savoir. Il arrivait réguliè-rement que des clients — la plupart du temps de jeunes couples grisés par l'amour et nourris de séries télévisées américaines — demandent à sa sœur Skye de leur organiser un mariage express dans les vingt-quatre heures.

Or le délai minimum était d'un mois. Il ne pouvait être abrégé que si l'un des futurs époux était à l'article de la mort. Du moins si ses souvenirs étaient exacts, parce qu'elle avait la fâcheuse habitude de n'écouter ses sœurs que d'une oreille quand elles discutaient de leur travail…

Riana caressa l'anneau avec perplexité. Qui le lui avait glissé au doigt ?

A moins qu'elle ne l'y ait mis elle-même dans son ivresse, pour se prouver qu'elle méritait autant que ses sœurs un mariage heureux ?

Fermant les paupières, elle fit des efforts désespérés pour se remémorer en détail son équipée de la veille. La seule compagnie dont elle se souvenait vaguement était celle d'une bouteille. Une bouteille de vodka…

Soudain, l'image de Joe s'imposa à son esprit.

Chancelante, Riana s'agrippa au rebord du lavabo. Après être partie du restaurant, elle avait vu Joe Henderson. Pas de doute. Elle se rappelait son visage taillé à la serpe, la barbe drue qui recouvrait sa mâchoire… A cette évocation, elle sentit des picotements au creux de sa paume.

Son cœur fit un bond dans sa poitrine. Se serait-il passé quelque chose entre Joe Henderson et elle ?

Des bribes de souvenirs lui revinrent subitement à la mémoire. La voix veloutée de Joe lui susurrait des paroles apaisantes, ses yeux d'or la regardaient avec une compassion infinie…

Que lui avait-elle dit ? Elle déglutit péniblement. Il ne manquerait plus qu'elle lui ait raconté son rendez-vous catastrophique avec Stuart. Surtout après lui avoir annoncé triomphalement le matin même que ce dernier était sur le point de la demander en mariage !

Elle s'affaissa sur le sol. Seigneur ! Pourquoi avait-elle éprouvé le besoin de se vanter auprès de Joe ? Elle avait vraiment atteint le comble du ridicule…

Des larmes lui brûlèrent les yeux et elle laissa échapper un gémissement de dépit. Dire qu'elle avait même laissé entendre à sa mère qu'elle n'avait plus de raison de s'inquiéter à son sujet parce qu'elle aurait bientôt une bonne nouvelle à lui annoncer…

Se maudissant, elle donna libre cours à ses sanglots. Comment avait-elle pu se tromper à ce point sur Stuart ? Une foule de souvenirs l'assaillirent et son cœur se serra. Comment avait-elle pu dépenser une telle énergie pour lui plaire ? Il fallait qu'elle soit vraiment stupide pour ne pas s'être aperçue qu'il était aussi nul que tous les hommes qu'elle avait rencontrés avant lui…

Un coup frappé à la porte la fit tressaillir.

— Riana, tout va bien ?

Elle se remit debout à grand-peine en s'efforçant de maîtriser ses larmes et d'ignorer sa migraine. Ne pouvait-on donc plus pleurer tranquillement dans son cabinet de toilette sans être dérangée ? D'un geste brusque, elle ouvrit la porte. Et le regretta aussitôt.

Joe Henderson se tenait devant elle. Pour une fois rasé de près et impeccablement coiffé, il était vêtu d'un T-shirt blanc et d'un jean qui moulaient parfaitement son corps athlétique.

Ses yeux mouchetés d'or la fixaient avec inquiétude, comme si elle était un fragile papillon sur le point de se brûler contre une ampoule.

— Vous… Tu vas bien ?

Maudissant les coups violents qui retentissaient dans son cerveau au moindre mouvement, Riana releva le menton. S'il s'imaginait qu'elle avait besoin de sa pitié, il se trompait lourdement. Et de quel droit la tutoyait-il ?

— Très bien, merci, répliqua-t-elle sèchement.

Le voyant arquer un sourcil, elle s'essuya les joues du revers de la main. Mince. En fait, elle devait offrir un spectacle encore plus lamentable, après avoir pleuré comme elle venait de le faire. Son visage devait être tout barbouillé…

— Vous m'avez tutoyé, lança-t-elle d'un ton accusateur pour masquer son embarras.

— Eh bien… oui. Après ce qui s'est passé cette nuit…

Riana crut défaillir. « Ce qui s'est passé cette nuit ? » Seigneur ! Que s'était-il passé ? Croisant nerveusement les doigts, elle fixa sur Joe un regard scrutateur. Si seulement elle pouvait visionner sur son visage le film de leur rencontre de la veille…

— Justement, je voulais vous en parler, dit-elle d'une voix mal assurée.

Il hocha la tête.

— Je m'y attendais.

Au comble de la confusion, Riana baissa les yeux. Allons bon ! De toute évidence, il s'était bien passé quelque chose. Mais quoi ? Un long frisson la parcourut et elle sentit ses joues s'enflammer. Non. Il était impossible que… Pas avec lui !

Lentement, elle promena son regard sur les longues jambes de Joe, sur ses hanches étroites et sur son torse musclé, en réprimant une envie irrésistible d'en faire autant du bout des doigts. Puis elle leva les yeux vers son beau visage lisse et ses yeux d'or, dans lesquels brillait une lueur étrange.

Envahie par des sensations inopportunes, elle se mordit la lèvre. Comment savoir ? Elle ne pouvait tout de même pas lui demander d'un ton désinvolte : « Au fait, pourriez-vous me rappeler si nous avons fait l'amour cette nuit ? »

Non. Impossible.

En tout cas, il ne la regardait plus de la même façon, c'était évident. Et il ne pouvait y avoir qu'une seule explication à ce curieux changement d'attitude. Ce qu'elle redoutait était certainement arrivé. Ils avaient dû faire l'amour !

— Je veux mourir, murmura-t-elle en cachant son visage dans ses mains.

Puis elle pivota sur elle-même, les joues en feu, l'estomac noué et la tête lourde.

— Il n'en est pas question.

La prenant par les épaules, Joe l'obligea à lui faire de nouveau face.

Au contact de ses doigts sur sa peau nue, elle fut transpercée par un éclair de désir. Seigneur ! Son corps avait apparemment une mémoire plus fiable que son esprit… Mais il était tout de même incroyable qu'elle ne se souvienne de rien !

— Ce n'est pas si grave, ajouta-t-il de la même voix caressante.

Riana déglutit péniblement. Si. C'était très grave.

Après le lamentable épisode du restaurant avec Stuart, elle était allée de Charybde en Scylla. C'était la première de sa vie qu'elle faisait l'amour avec un inconnu sous l'emprise de l'alcool. Comment avait-elle pu se comporter avec une telle légèreté ? Jamais plus elle ne pourrait regarder Joe Henderson en face.

— Aucune situation n'est jamais aussi grave qu'elle le semble à première vue, insista Joe. Fais-moi confiance.

Les pensées se bousculèrent dans l'esprit de Riana. Curieusement, il ne semblait pas la mépriser. Mais quelle consolation cela pouvait-il lui apporter si elle se méprisait elle-même ? Oh, mon Dieu ! Pourquoi était-elle aussi nulle avec les hommes ?

— Donnez-moi une seule bonne raison de ne pas me suicider, murmura-t-elle.

Lui prenant le menton, il plongea son regard dans le sien.

— Tu as d'innombrables raisons de vivre.

Mais Riana l'entendit à peine. Seigneur ! Il était facile d'imaginer la tête que feraient ses sœurs quand elles apprendraient son dernier coup de folie… Comme si elle ne leur avait pas déjà suffisamment prouvé à quel point son cas était désespéré !

— Moi, je suis là, par exemple, poursuivit Joe. Je serai toujours là pour toi. Tu peux compter sur moi.

Elle tressaillit.

— Vous… Toi ?

Puisqu'il semblait tenir à la tutoyer, elle pouvait difficilement continuer à lui dire « vous », décida-t-elle. En tout cas, Joe se montrait de plus en plus surprenant. Pourquoi venait-il de lui faire cette promesse ? Joe Henderson ne devait pourtant pas être le genre d'homme à s'attarder après avoir ajouté une nouvelle conquête d'une nuit à son tableau de chasse.

— Bien sûr, acquiesça-t-il en écartant une mèche de cheveux qui lui barrait le visage. J'étais sincère hier, quand j'ai dit que je voulais t'épouser.

Riana eut le souffle coupé.

— M'épouser ? répéta-t-elle d'une voix étranglée.

— Bien sûr. Tu es une femme fantastique, avec qui beaucoup d'hommes aimeraient partager leur vie. Moi le premier.

Le cœur de Riana se mit à battre la chamade. Joe Henderson voulait se marier avec elle ? Ça ne tenait pas debout… Soit elle était encore endormie et c'était un rêve, soit elle était éveillée et en plein délire. La seconde explication était la plus probable, décida-t-elle. L'alcool avait dû provoquer des ravages dans son esprit.

— Tu as donc au moins une raison de vivre, poursuivit-il sur le même ton empreint de tendresse. Et tu as une foule de choses plus intéressantes à faire que ressasser le passé. Dessiner ta robe de mariée, par exemple.

50

— Ma robe de mariée…

Riana leva la main et regarda l'anneau de cuivre qui brillait à son doigt. Un vague souvenir lui revint à la mémoire. Joe, à genoux devant elle…

Il caressa du doigt la bague de cuivre.

— Ne t'inquiète pas, nous en achèterons une plus digne de toi, bien sûr. Mon impatience m'a poussé à improviser et c'est tout ce que j'ai trouvé sur le moment.

Riana était de plus en plus perplexe. S'il l'avait demandée en mariage, il était assez logique qu'ils aient fait l'amour. Mais étaient-ils réellement passés à l'acte ? Elle plissa le front. Il était tout de même insensé qu'elle ne se souvienne de rien !

Joe jeta un coup d'œil derrière lui, vers la porte du bureau.

— Il faut que j'y aille, déclara-t-il. Tout le monde arrive. Prends ton temps. La maquilleuse s'occupe des mannequins. Inutile de te presser.

Se penchant vers elle, il déposa un baiser sur son front.

— Je te verrai plus tard, d'accord ?

— D'accord.

Dès qu'il fut sorti du bureau, Riana porta la main à son front. Les lèvres de Joe avaient laissé leur empreinte sur sa peau. Elle le sentait. Tout comme elle sentait de délicieux frissons se répandre dans tout son corps.

Pas de doute. Aussi incroyable que cela puisse paraître, elle était fiancée !

Joe sortit du bureau de Riana en se passant nerveusement la main dans les cheveux. Bon sang. Dire qu'il pensait qu'une fois dégrisée, Riana recouvrerait la raison… De toute évidence, il se trompait lourdement. La perspective d'épouser un étranger ne semblait pas la rebuter.

Comment se sortir de ce pétrin ? Bien sûr, il n'aurait pas dû en rajouter en l'assurant de sa sincérité. Mais quand il l'avait entendue dire qu'elle voulait mourir, son sang n'avait fait qu'un tour.

A en juger par son visage défait et les sanglots qu'il avait entendus à travers la porte du cabinet de toilette, elle était en pleine détresse, songea-t-il, étreint par une profonde angoisse.

Il serra les poings. Et tout ça pour un sale type qui n'en valait pas la peine. Exactement comme sa sœur… Mais cette fois, il était prêt à tout pour éviter le pire.

Hanté par ses souvenirs, Joe s'immobilisa au milieu du salon, où ses assistants s'affairaient.

Hayley avait à peu près le même âge que Riana quand elle était tombée amoureuse. Elle aussi était belle, sensible et impatiente de rencontrer l'homme de sa vie.

Il sortit un appareil de son étui et passa la courroie autour de son cou en s'efforçant de refouler le remords qui le rongeait.

— Tout le monde en place. Nous allons commencer ! lança-t-il d'un ton beaucoup moins enthousiaste qu'à l'accoutumée.

Si seulement il avait compris à quel point sa sœur avait été dévastée par sa rupture avec son petit ami… Malheureusement, il avait pris son chagrin à la légère, convaincu qu'elle oublierait rapidement ce sale type qui ne la méritait pas.

Il s'était contenté de la serrer dans ses bras en lui prédisant un avenir radieux auprès d'un homme plus digne d'elle. Pas un instant il n'avait pressenti qu'elle n'avait pas d'avenir...

Ce n'était pas son premier chagrin d'amour et il pensait que Hayley le surmonterait avec autant de facilité que les autres. Malheureusement, il se trompait. Sa blessure était plus profonde que les précédentes et il n'avait pas su le voir.

Il regarda par le viseur.

— J'ai besoin de plus de lumière ! cria-t-il d'une voix rendue agressive par le poids de la culpabilité.

Le lendemain, il avait pris l'avion pour Bali, où il devait photographier une collection de maillots de bain. Après son départ, sa petite sœur s'était terrée chez elle, sombrant dans un désespoir qu'elle avait tenté de noyer dans l'alcool.

Si seulement il avait été plus attentif et moins préoccupé par sa carrière, il serait resté auprès d'elle, se dit-il pour la énième fois. S'il avait su percevoir l'intensité de sa souffrance, il aurait rompu son contrat et annulé son voyage pour veiller sur elle.

— On y va ! cria-t-il.

Il prit la grande blonde à l'instant où elle écartait le rideau rouge, éblouissante dans une robe de satin blanc incrustée de perles nacrées qui scintillaient dans la lumière.

— N'oublie pas que c'est le jour de ton mariage ! lança-t-il au mannequin d'un ton rogue. Imagine que l'homme de ta vie vient de te passer la bague au doigt. J'aimerais un sourire plus radieux, s'il te plaît... Parfait !

Cette jeune femme était vraiment superbe et très convaincante, reconnut-il intérieurement. On pouvait presque se croire à la sortie de l'église.

Hayley ne connaîtrait jamais ce bonheur, elle qui en avait tant rêvé… Selon les conclusions de l'enquête, elle se rendait chez ce type quand c'était arrivé.

Elle était ivre lorsqu'elle avait pris le volant, et sans doute aveuglée par les larmes. Elle n'avait vu ni le virage ni l'arbre dans lequel sa voiture s'était encastrée.

Joe crispa les doigts sur son appareil. Il n'était pas question de laisser une autre jeune femme mettre sa vie en péril.

Coûte que coûte, il aiderait Riana Andrews à surmonter sa déception. Il prendrait soin d'elle jusqu'à ce qu'elle retrouve sa joie de vivre.

— Parfait, répéta-t-il au mannequin avec un sourire contraint. A présent, tourne-toi de profil.

Il protégerait Riana contre elle-même et il lui redonnerait confiance en elle.

En aucun cas, il ne faillirait une seconde fois à son devoir.

5.

Riana dénoua le lacet du corsage de la dernière robe de sa collection et aida le mannequin à se déshabiller.

— Merci. Tu as été fantastique.

Elle regarda la brune pulpeuse s'éloigner d'une démarche nonchalante. Si seulement elle avait pu être aussi calme et détendue que la jeune femme ! songea Riana avec envie. Pour sa part, le seul fait de penser à Joe Henderson et de l'imaginer de l'autre côté du rideau la plongeait dans un état de grande nervosité.

Tout au long de la matinée, elle avait été obligée de faire des efforts surhumains pour maîtriser son agitation. Par ailleurs, sa migraine était toujours aussi forte et les questions qui tourbillonnaient dans son esprit à propos de la nuit précédente n'arrangeaient rien... Mais malgré tout, elle avait réussi à faire front, se dit-elle pour se consoler.

Elle avait bu au moins trois litres d'eau pour tenter de combattre sa gueule de bois, mais malheureusement, ça n'avait eu pour seul effet que de la précipiter aux toilettes toutes les dix minutes. Et chaque fois, elle avait bien sûr été confrontée à son reflet dans le miroir.

Impossible dès lors d'oublier sa mine de papier mâchée et sa conduite stupide de la veille…

Quant à la conversation qu'elle avait eue avec Joe ce matin, elle était bien en peine de dire si c'était un rêve ou une invention de son cerveau malade. A moins que cet échange n'ait réellement eu lieu ? Elle n'aurait su le dire. Pour l'instant, elle était incapable de discerner la frontière entre le rêve et la réalité.

Pourvu que ça ne dure pas trop longtemps et qu'elle finisse par recouvrer à la fois la raison et la mémoire, se dit-elle en mettant la robe sur un cintre avant de renouer le lacet du corsage.

Elle secoua la tête. Non, cette conversation était certainement le fruit de son imagination. Joe Henderson n'avait pas pu lui demander de l'épouser. Ce genre de choses n'arrivait qu'au cinéma, et encore…

A moins que… ? Elle jeta un coup d'œil sur sa main gauche. L'anneau était bien là.

Cependant, une autre question tout aussi délicate restait en suspens. Avaient-ils fait l'amour, oui ou non ?

Riana ferma les yeux et poussa un profond soupir. La seule façon d'en avoir le cœur net était d'interroger Joe Henderson.

Elle enroula la traîne de la robe sur un autre cintre, en la pliant avec soin pour éviter les faux plis.

Redressant les épaules elle s'exhorta à faire preuve de courage. Il était impossible de rester plus longtemps dans l'incertitude. Il fallait à tout prix qu'elle sache exactement ce qui s'était passé pendant la nuit.

Un haut-le-cœur la fit chanceler et elle s'affaissa contre le mur. Rester l'estomac vide n'était pas une bonne idée. Elle aurait tout intérêt à manger quelque chose.

— Ça va ?

La voix profonde de Joe la fit tressaillir et elle sentit le bras de ce dernier se glisser autour de sa taille pour la soutenir.

Elle hocha la tête, s'efforçant d'ignorer les frissons qui la parcouraient.

— Oui.

— Menteuse.

Il l'entraîna vers le siège le plus proche et s'accroupit par terre à côté d'elle.

— As-tu mangé ?

— Non.

— Si nous déjeunions ensemble ? Nous pourrions en profiter pour discuter.

— Excellente idée.

Il se releva.

— Laisse-moi un quart d'heure pour terminer ce que j'ai à faire, d'accord ?

Avant de s'éloigner, il ajouta en souriant :

— La séance s'est très bien passée. Tes robes sont magnifiques. Je suis sûr que ta collection va avoir un succès fou.

Riana se contenta de hocher la tête. Mieux valait rester silencieuse, décida-t-elle, tandis qu'une chaleur intense se répandait dans tout son corps. Sa voix risquait de trahir son émotion. Pourquoi ce compliment lui faisait-il un tel plaisir ?

— Que se passe-t-il ? demanda Maggie qui venait d'arriver. On dirait que l'atmosphère s'est nettement réchauffée, entre vous deux.

Fascinée, Riana ne quittait pas Joe des yeux, tandis qu'il aidait ses assistants à ranger le matériel. Quel homme séduisant… Et contrairement à ce qu'elle avait cru au départ, il n'était pas si arrogant. Il suffisait de voir comment il se comportait avec les membres de son équipe pour se rendre compte qu'il était profondément humain.

— Allez, raconte ! insista Maggie. Je suis bloquée depuis ce matin à la réception. Le téléphone n'a pas arrêté de sonner. A quelle heure es-tu arrivée ? Et pourquoi as-tu cette mine épouvantable ?

Riana ouvrit la bouche, puis la referma. Comment expliquer la situation à Maggie alors qu'elle ne la comprenait pas elle-même ?

— Et pourquoi portes-tu ce tailleur pantalon qui traîne dans le placard de ton bureau depuis des semaines ? ajouta Maggie, à qui aucun détail n'échappait jamais.

Ne sachant toujours pas quoi répondre, Riana lissa son pantalon noir, en ôtant avec application les fils qui s'y étaient accrochés au cours de la matinée.

Soudain, elle prit une profonde inspiration. Après tout, Maggie était sa meilleure amie et elle ne lui avait jamais rien caché. Par ailleurs, lui raconter son histoire lui permettrait peut-être d'y voir un peu plus clair.

— Tu ne vas pas me croire. Figure-toi qu'hier soir…

— Tu as dit oui à Stuart et vous allez vous marier au printemps ! coupa Maggie en tapant dans ses mains.

Riana secoua la tête. Aussi incroyable que cela puisse paraître, Stuart n'était déjà plus qu'un vague souvenir…

— Non. Stuart ne m'a pas demandé de l'épouser. Cependant, il semblerait que je sois sur le point de me marier quand même…

— Je ne suis pas sûre d'avoir tout compris. Tu pourrais être plus claire ?

— Je vais me marier, mais pas avec Stuart.

Maggie ouvrit de grands yeux.

— Avec qui ?

— Joe.

— Joe ? Joe Henderson ? Tu plaisantes !

— Pas du tout. Du moins je ne crois pas.

Maggie prit une chaise et se laissa tomber dessus.

— Si tu m'expliquais clairement ce qui t'arrive ?

Riana prit une profonde inspiration.

— Je crois que Joe m'a demandée en mariage et que j'ai répondu oui, répondit-elle en évitant le regard de son amie.

— Tu crois ? s'exclama Maggie en arquant un sourcil perplexe. Tu n'en es pas certaine ? Ça s'est passé quand ?

— Hier soir.

— Tu avais pourtant rendez-vous avec Stuart au D'Amore, non ?

— Oui. Et j'y suis allée. Mais Stuart n'a jamais eu l'intention de me demander en mariage. Il voulait juste me proposer de partir en vacances en Suisse avec lui. Et des amis…

Haussant les épaules, Riana s'efforça de prendre un air désinvolte et d'ignorer l'humiliation qui l'envahissait au souvenir de sa conversation avec Stuart.

— Il trouve que je ne suis pas le genre de fille qu'on épouse, précisa-t-elle dans un souci d'honnêteté.

— Il a osé te dire ça ? s'écria Maggie avec une indignation manifeste.

Les joues en feu, Riana fixa le bout de ses chaussures.

— Oui.

— Mais c'est un monstre ! Comment as-tu réagi ?

— Je l'ai planté là, j'ai achcté une bouteille de vodka et je suis revenue ici.

— A pied ?

— Oui.

Maggie se renversa contre le dossier de sa chaise en écarquillant les yeux.

— Depuis le D'Amore ? Ça se trouve au moins à huit kilomètres !

Voilà pourquoi elle avait eu tellement mal aux pieds toute la matinée ! comprit Riana.

— J'ai dû boire beaucoup en chemin, parce que mes souvenirs sont très flous, avoua-t-elle. En fait, je ne sais pas exactement ce qui s'est passé avec Joe après mon arrivée ici.

Maggie se pencha vers elle.

— Te souviens-tu du moment où il t'a demandée en mariage ? chuchota-t-elle en jetant des regards furtifs autour d'elle, comme si tout le monde les espionnait.

Riana haussa les épaules.

— Pas vraiment. En tout cas, il m'a donné une bague.

— Il avait apporté une bague pour toi ?

— Non, il a improvisé, répliqua Riana en montrant à Maggie l'anneau de cuivre. Mais ce matin, il m'a dit qu'il m'en offrirait bientôt une vraie.

Riana sentit une douce chaleur l'envahir. Non seulement Joe Henderson l'avait demandée en mariage sur une impulsion, mais il avait réussi à trouver un anneau à lui glisser au doigt en attendant de lui faire choisir une véritable bague de fiançailles. Quelle attention charmante ! Et si romantique…

— Il t'a dit ça ce matin ? Dans ce cas, il n'y a aucun doute à avoir. Il t'a bel et bien demandée en mariage ! Eh bien, ça alors ! Félicitations !

Maggie se pencha de nouveau vers Riana.

— Tu es certaine de n'avoir aucun souvenir de ce qui s'est passé cette nuit ? demanda-t-elle avec un clin d'œil.

Riana sentit ses joues s'enflammer.

— Non, justement. Avoue que c'est bizarre.

— En effet. Tu n'as pas dû lésiner sur la vodka ! Que vas-tu faire ? As-tu l'intention d'interroger Joe ? Il faut que tu en aies le cœur net.

— Je sais. Ce matin je n'ai pas osé. C'est très embarrassant : il est si gentil avec moi. Si attentionné. Et puis…

— Et puis quoi ?

— Il m'a embrassée.

Riana se toucha le front. Au souvenir du baiser que Joe y avait déposé, elle fut envahie par des sensations délicieuses.

— C'était si… beau.

Se renversant en arrière, Maggie éclata d'un rire joyeux.

— En tout cas, une chose est sûre. Tu es mordue.

— Mais non ! protesta aussitôt Riana, la gorge nouée. Je ne suis même pas sûre qu'il me plaise. Je le connais à peine…

— Et moi, je te dis que tu es mordue.

Riana se leva d'un bond et partit dans le couloir.

— Ça se voit comme le nez au milieu de la figure ! insista Maggie en la suivant.

Riana ouvrit la porte de son bureau d'un geste brusque. Cette situation était insensée. Certes, elle n'était pas insensible au charme de Joe Henderson, mais ça n'avait rien à voir avec l'amour. Il n'était pas question qu'elle tombe amoureuse de lui !

Pas avant de savoir ce qui s'était passé entre eux, en tout cas...

6.

Riana se brossa consciencieusement les cheveux pendant un long moment, puis se remaquilla avec soin.

Elle se rendit ensuite à la réception et se mit à faire les cent pas devant le bureau de Maggie. L'ensemble qu'elle portait aujourd'hui était très quelconque, se dit-elle avec dépit. Malheureusement, elle n'avait pas le temps de rentrer chez elle pour se changer.

— Je devrais garder en réserve une ou deux tenues un peu plus élégantes dans mon placard, déclara-t-elle en lissant nerveusement son pantalon.

— Ne t'inquiète pas, tu es parfaite. Et maquillée à la perfection. Surtout pour aller déjeuner dans le quartier, ajouta Maggie avec un sourire malicieux.

Riana hocha la tête. Maggie avait raison. Elle allait simplement déjeuner au café du coin. Avec Joe...

Elle passa une main dans sa chevelure.

Etait-il possible qu'ils soient vraiment fiancés ? Aurait-il eu le coup de foudre pour elle, l'autre soir au club ? De là à la demander en mariage sur une impulsion quelques jours plus tard... C'était vraiment étrange.

Elle poussa un profond soupir.

Si seulement elle parvenait à se rappeler ce qui s'était passé entre eux la veille… Seigneur ! Jamais elle n'allait avoir le courage de mettre les pieds dans le plat.

— Si tu venais avec nous ? lança-t-elle d'un ton qui se voulait désinvolte.

Maggie secoua la tête avec énergie.

— Pas question. Il faut que tu affrontes cette situation toute seule. De toute façon, ma présence ne te serait d'aucun secours. Bien au contraire.

— S'il te plaît !

— Inutile de prendre cet air implorant, je ne céderai pas. Qu'est-ce qui t'arrive, Riana ? La perspective de déjeuner avec un homme ne t'a jamais rendue aussi nerveuse.

Riana poussa un profond soupir. C'était vrai. Mais Joe Henderson était différent. Jamais aucun autre homme ne l'avait troublée à ce point.

Etait-ce dû à son charme irrésistible ou à l'étrangeté de la situation ?

— Riana ?

Au son de la voix profonde, elle tressaillit. Seigneur ! Le simple fait d'entendre Joe prononcer son prénom déclenchait en elle des sensations inouïes…

Elle se retourna lentement.

— Tu es prête ? demanda-t-il en la détaillant d'un regard pénétrant.

Incapable de prononcer un mot, elle acquiesça d'un signe de tête. Pourquoi la regardait-il avec une telle intensité ?

Allons, pas de panique. Après tout, ce n'était qu'un déjeuner, se dit-elle pour se rassurer. Rien de plus. Elle n'avait aucune raison de se mettre dans tous ses états.

Le cœur battant à tout rompre, elle saisit son sac d'un mouvement brusque. Ce dernier tomba par terre et son contenu se répandit sur le sol.

Quelle idiote ! Les joues en feu, elle s'agenouilla aussitôt en baissant la tête pour dissimuler son embarras. Qu'est-ce que Joe allait penser d'elle ? Allait-il comprendre à quel point il la troublait ? Ou bien penserait-il tout simplement qu'elle était maladroite ? A vrai dire, elle ne savait pas trop quelle hypothèse était préférable.

— Laisse-moi t'aider, proposa-t-il d'une voix douce en s'accroupissant à côté d'elle.

Elle ramassa d'un geste vif son poudrier, ses pastilles de menthe, ses fards et sa brosse à cheveux, puis les fourra dans son sac, en continuant d'éviter soigneusement le regard de Joe.

Elle lui tendit ensuite son sac grand ouvert. Après avoir déposé dedans son miroir de poche, son portefeuille et ses clés de voiture, il lui prit délicatement le menton et l'obligea à relever la tête.

— Tout va bien ?

— Je suis désolée ! lâcha-t-elle d'un ton brusque.

Il lui prit la main et l'aida à se relever.

— Tu n'as aucune raison de t'excuser.

— Je me sens si empotée !

— C'est sans doute parce que les effets de la vodka ne sont pas encore entièrement dissipés. Il ne faut pas te mettre martel en tête pour ça.

Elle éprouva aussitôt une vive gratitude. Avait-elle déjà rencontré un homme aussi compréhensif et attentionné ? Non. Jamais.

— Tu as sans doute raison, acquiesça-t-elle avec un sourire penaud. Il vaudrait mieux que j'évite tout travail de précision aujourd'hui.

Il eut un petit rire bienveillant.

— En effet. Tu as faim ?

— Je suis affamée.

Du coin de l'œil, elle aperçut Maggie qui levait le pouce d'un air triomphant.

Etait-il possible que Joe Henderson soit aussi parfait qu'il en avait l'air ? se demanda Riana avec perplexité. Etait-il possible qu'il soit vraiment amoureux d'elle et qu'il ait réellement l'intention de l'épouser ?

Pourvu qu'il ne la déçoive pas… Elle ne supporterait pas un autre échec sentimental.

Le bistrot situé au coin de la rue, à quelques pas de la boutique, était l'endroit idéal où emmener Riana déjeuner, se dit Joe en entraînant celle-ci dehors.

Pouvait-il prendre le risque de lui avouer la vérité au sujet de leurs « fiançailles » ? se demanda-t-il avec embarras. Si seulement il était capable d'analyser dans quel état d'esprit elle se trouvait ce matin… Malheureusement, il n'avait pas encore réussi à le déterminer.

A en juger par sa réaction quand elle avait laissé tomber son sac, le moindre incident pouvait la déstabiliser. Il allait falloir se montrer particulièrement attentif et savoir choisir le bon moment pour mettre les choses au point.

Il ne lui avouerait la vérité que quand elle serait prête à l'entendre.

En tout cas, ce Stuart qui l'avait traitée avec un tel mépris était non seulement un monstre mais aussi un imbécile. Riana Andrews était une jeune femme admirable. Belle, pleine de talent et très courageuse. Elle avait réussi à faire bonne figure devant tout le monde pendant toute la matinée.

S'il ne l'avait pas surprise en larmes dans son cabinet de toilette, il n'aurait jamais pu deviner pendant la séance qu'elle avait le cœur brisé. Elle s'était comportée avec un professionnalisme remarquable.

Cependant, certains signes indiquaient qu'elle était encore très fragile. D'ailleurs, comment pourrait-il en être autrement ? On ne se relevait pas du jour au lendemain d'un chagrin d'amour.

S'il avait compris plus tôt cette évidence, il aurait peut-être pu sauver sa sœur… Se remettrait-il un jour de l'avoir abandonnée au moment où elle avait le plus besoin de lui ? Pas une seule journée ne s'était écoulée depuis sa mort sans qu'il imagine ce qu'elle avait dû endurer durant la dernière semaine de sa vie.

Il aurait donné n'importe quoi pour pouvoir remonter le temps et réparer son erreur. Malheureusement, c'était impossible. En revanche, éviter le même sort à Riana était en son pouvoir. C'était même son devoir. Et il n'avait pas l'intention de s'y dérober.

— Je trouve cet endroit agréable, déclara-t-il en prenant un air enjoué alors qu'ils pénétraient dans le petit café. Tu viens sans doute souvent ici ?

— Oui, en effet, répondit-elle d'un ton neutre.

Que se passait-il dans son esprit en ce moment même ? se demanda-t-il. Si seulement il avait pu le deviner… Une femme au cœur brisé pouvait-elle penser à autre chose qu'à son amour perdu ?

Il s'était imaginé qu'elle retrouverait sa lucidité dès son réveil et qu'elle serait la première à rire de leurs fiançailles. Mais pour l'instant, ça ne semblait pas être le cas...

Tandis que Riana se dirigeait vers les tables situées en terrasse près de la vitre, il ne put s'empêcher d'admirer sa démarche chaloupée. Le mouvement de ses hanches pleines était fascinant. Il avait rarement vu un corps aussi sensuel et gracieux.

Crispant les poings, il s'efforça de détourner son regard. Il fallait se concentrer sur la mission qu'il s'était assignée, se dit-il fermement. Protéger Riana et lui redonner goût à la vie.

Il prit une profonde inspiration. Malgré ses bonnes résolutions, son regard était irrésistiblement attiré par le pantalon noir qui épousait parfaitement les courbes féminines de Riana et mettait en valeur ses jambes interminables. Quel effet lui feraient celles-ci, nouées autour de sa taille ? se demanda-t-il soudain.

Réprimant un juron, il accéléra le pas. Mieux valait ne pas rester en arrière. Ce spectacle allait finir par lui faire perdre son sang-froid.

Prenant Riana par le coude, il l'entraîna vers le fond de la salle. Inutile de s'exposer à d'éventuels regards indiscrets. Il ne manquerait plus qu'une relation de Francine, sa fiancée, passe en voiture et l'aperçoive en terrasse en compagnie d'une superbe jeune femme !

Joe passa devant Riana et lui tint sa chaise pendant qu'elle s'asseyait. Son épaisse chevelure noire, qui flottait librement sur ses épaules, était souple et soyeuse. Et elle exhalait de délicieux effluves de vanille...

Il déglutit péniblement. Bon sang ! Voilà qu'il mourait d'envie de s'emparer des lèvres pulpeuses de Riana pour l'embrasser avec fougue.

Au prix d'un immense effort, il s'écarta d'elle et gagna son siège. S'asseyant lourdement, il crispa la mâchoire. Ce n'était pas le moment de se laisser dominer par ses sens ! Et il était vraiment préférable de mettre les choses au point à propos de leurs fiançailles. Cultiver l'ambiguïté plus longtemps risquait de s'avérer dangereux.

— Il faut que je t'avoue quelque chose, commença-t-il d'une voix hésitante.

Aussitôt, le visage de Riana s'illumina. Allons bon. Il lisait un fol espoir dans ses yeux. Se pourrait-il qu'elle prenne au sérieux ce projet de mariage ?

Dans le doute, mieux valait s'abstenir et renoncer pour l'instant à lui assener une vérité qui risquait de la replonger dans le désespoir...

— Je meurs d'impatience d'en apprendre un peu plus à ton sujet, reprit-il d'un ton neutre.

— Vu les circonstances, c'est sans doute une bonne idée, en effet, répliqua-t-elle en dépliant sa serviette et en la posant sur ses genoux.

Joe prit le menu sur la table pour se donner une contenance. Quelle voix cristalline ! C'était comme si les quelques mots qu'elle venait de prononcer avaient effleuré sa peau. Comme une promesse de caresse...

Il déglutit péniblement. Voilà qu'il se mettait à délirer. Il était urgent qu'il se reprenne !

— Si tu me parlais de ta famille ? demanda-t-il en prenant un air qu'il espérait détaché. Pour l'instant, je sais seulement que tu as créé Satin Blanc en association avec ta mère et tes sœurs. C'est bien cela, n'est-ce pas ?

— Oui.

— Et ton père ? Est-il lui aussi impliqué dans l'entreprise ?

Le visage de Riana s'assombrit.

— Non. Il nous a quittées quand j'avais huit ans.

— Excuse-moi, dit aussitôt Joe en se maudissant.

Quel idiot ! Mais quel idiot ! Comment avait-il pu commettre une telle bévue ? Il aurait pu se montrer plus prudent !

Elle haussa les épaules.

— Tu ne pouvais pas savoir. De toute façon, il y a si longtemps... Ce n'est pas important.

Ça expliquait sans doute bien des choses, au contraire, songea Joe. En tout cas, désormais il se garderait bien de faire la moindre allusion à son père.

— Parle-moi de votre agence. Quel est le rôle exact de chacune d'entre vous ?

A sa grande joie, le visage de Riana s'anima.

— Ma mère et Skye sont organisatrices de mariage. Elles ont d'ailleurs commencé bien avant la création de Satin Blanc. Au début, elles travaillaient à la maison. Quant à Tara, ma sœur aînée, elle s'occupe parfois d'organiser des festivités, mais elle est avant tout conseillère en demande en mariage.

Joe ne put s'empêcher de sourire.

— Pour notre part, nous nous en sommes très bien sortis sans faire appel à ses services.

— C'est vrai, acquiesça Riana en rougissant.

Au même instant, une serveuse s'immobilisa devant leur table, un carnet et un stylo à la main.

— Puis-je prendre votre commande ?

Joe jeta un coup d'œil sur le menu.

— Un club sandwich et un café, s'il vous plaît.

Il regarda Riana avec inquiétude. Contrairement à ce qu'elle avait affirmé avant de partir de la boutique, elle n'avait visiblement aucun appétit. Il fallait pourtant qu'elle mange.

Il n'était pas question de la laisser glisser sur la même pente que Hayley. D'après ce qu'il avait appris, celle-ci s'était nourrie essentiellement d'alcool durant les jours qui avaient précédé son accident.

Il jeta un coup d'œil aux assiettes des autres clients.

— Le poulet semble appétissant, suggéra-t-il.

Riana tressaillit et hocha la tête.

— Oui. Je vais prendre du poulet.

— Et le jus d'orange est fraîchement pressé, je suppose, ajouta-t-il en apercevant une bouteille de Coca-Cola sur la table voisine.

Pas question que Riana absorbe de la caféine dans l'état où elle se trouvait !

— Un jus d'orange serait parfait, approuva Riana. Merci pour tes suggestions, ajouta-t-elle quand la serveuse se fut éloignée.

— Tu ne semblais pas très motivée.

Elle haussa les épaules.

— J'ai d'autres choses en tête.

Joe sentit son estomac se nouer. Elle pensait à Stuart, bien sûr. Mieux valait ne pas la laisser ruminer l'humiliation que lui avait fait subir ce mufle. Il fallait faire diversion pour lui éviter d'être submergée par ses idées noires.

— Tu étais en train de me parler de Satin Blanc, lança-t-il d'un ton léger.

A sa grande satisfaction, le regard de Riana s'éclaira.

— Oui. Mon autre sœur, Skye, se consacre entièrement à l'organisation de mariages, comme ma mère. Et elle est en train de former Maggie pour qu'elle devienne son assistante.

— Tu es donc l'artiste de la famille.

— En quelque sorte, acquiesça-t-elle d'un air songeur.

— Une artiste très talentueuse. Je suis sûr que tu connaîtrais un succès fulgurant dans le prêt-à-porter.

— Peut-être, mais j'aime les robes de mariée.

— Ça se voit. Tes créations sont splendides.

— Merci.

Devant le sourire ravi de Riana, Joe sentit son pouls s'accélérer. Sa bouche était vraiment fascinante...

— J'ai l'impression d'être une bonne fée qui habille des centaines de Cendrillons, ajouta-t-elle.

Elle ferma les yeux, un sourire rêveur aux lèvres.

Au même instant la serveuse apporta leur commande.

— C'est toi qui as créé les robes de tes sœurs, je suppose ? dit-il après avoir goûté son sandwich.

— Bien sûr. Et j'espère avoir bientôt l'occasion d'habiller ma mère pour son remariage. Pas avec une robe blanche traditionnelle, bien sûr. Mais j'ai déjà quelques idées assez précises...

Riana prit une feuille de laitue sur son assiette avant de poursuivre.

— Je suis si heureuse qu'elle recommence enfin à penser un peu à elle. Depuis que Tara et Skye se sont mariées, elle a recommencé à sortir. Il y a quelques mois, elle a rencontré un homme avec qui elle s'entend très bien. Mes sœurs et moi nous espérons de tout cœur qu'elle va enfin refaire sa vie.

Apparemment, il avait fallu de très nombreuses années à la mère de Riana pour se remettre du départ de son mari, se dit Joe avec inquiétude. Pourvu que Riana ne mette pas aussi longtemps à oublier Stuart...

D'ici là, ils auraient largement le temps de se marier et d'avoir une famille nombreuse, songea-t-il avec dérision. Toutefois, à cette pensée, il fut envahi par un trouble intense qui le perturba profondément.

— J'ai une question très importante à te poser, dit soudain Riana. As-tu réellement l'intention de m'épouser, Joe ?

Les yeux baissés sur son assiette, les mains tremblantes, elle semblait très angoissée.

— Bien sûr, répondit-il spontanément.

Il lui prit la main et la pressa dans la sienne.

— Et toi ? Le veux-tu toujours ? demanda-t-il en l'observant avec attention.

Ses grands yeux noirs semblaient chercher au fond des siens la réponse à une question essentielle, constata-t-il. Visiblement, elle était loin d'avoir retrouvé sa sérénité.

Pris d'une impulsion, il ajouta :

— Tu n'es pas obligée de me répondre tout de suite. Et il faut que tu saches une chose. Quelle que soit ta décision, tout ce qui m'importe est que tu sois heureuse.

— Comme c'est généreux ! Aucun homme ne m'a jamais dit ça avant toi.

Profondément ému, Joe eut l'impression que les paroles de Riana réchauffaient son cœur d'une douce chaleur.

73

— Merci d'être aussi merveilleux, ajouta-t-elle en se penchant vers lui pour l'embrasser sur la joue.

Joe baissa les yeux sur son sandwich en s'efforçant d'ignorer l'élan qui le poussait vers elle. Bon sang ! S'il s'écoutait, il goûterait avec gourmandise ces lèvres brûlantes.

S'exhortant au calme, il lâcha la main de Riana et saisit son sandwich. Curieusement, il n'avait plus aucun appétit, tout à coup...

Riana mangea machinalement une bouchée de poulet.

Joe Henderson se préoccupait de son bonheur ! Etait-ce cela l'amour ? Tous les hommes qu'elle avait connus jusque-là ne semblaient pas particulièrement se soucier de ce qu'elle pouvait ressentir.

Le cœur gonflé de joie, elle le regarda mordre dans son sandwich. Cet homme était vraiment différent des autres. Il était si attentionné... C'était miraculeux.

Elle posa sur ses genoux la main qu'il venait de lâcher. La chaleur de sa peau s'était transmise à la sienne, remontant le long de son bras, puis se diffusant dans tout son corps, dissipant ses derniers doutes.

Comme c'était bon d'être aimée !

Caressant du bout du pouce l'anneau de cuivre, elle exulta. Elle était fiancée ! Avec l'homme le plus extraordinaire qu'elle avait jamais rencontré !

Finalement c'était une chance fantastique qu'elle soit revenue ivre à la boutique, la veille. Le destin lui avait offert un cadeau somptueux en la conduisant jusqu'à Joe.

Libéré par l'alcool, son inconscient avait fait le reste en l'incitant à accepter la demande en mariage de Joe.

Nul doute que si elle avait été dans son état normal, elle ne l'aurait jamais pris au sérieux. Et elle serait passée à côté de l'homme de sa vie… Quelle horreur ! Elle avait vraiment frôlé la catastrophe.

Mais mieux valait penser à l'avenir. Joe et elle avaient toute la vie pour apprendre à se connaître. Pour passer de longues heures ensemble devant un feu de cheminée à se confier leurs rêves et leurs espoirs. Pour se promener dans le parc ou sur la plage au clair de lune…

Tout ce que Stuart lui avait toujours refusé.

Elle se redressa sur son siège. C'était décidé. Elle allait cesser de se torturer l'esprit avec des questions oiseuses. Si le destin avait choisi Joe pour elle, pour quelle raison remettrait-elle ce choix en question ?

7.

Riana passa la tête par la porte du bureau de sa mère et huma avec délectation le parfum de rose qui flottait dans la pièce, comme à l'accoutumée. Aussitôt, elle fut ramenée plusieurs années en arrière, à l'époque où Barbara Andrews s'était lancée dans l'organisation de mariages et où elle travaillait à son domicile.

Encore petite fille, Riana jouait aux pieds de sa mère, sous la grande table de la salle à manger. Les mêmes effluves subtils embaumaient l'atmosphère, mais la vie était bien plus simple alors...

Elle aimait venir dans ce bureau pour y retrouver cette senteur évocatrice des jours heureux de son enfance, et pour bavarder un instant avec sa mère. Mais pour une fois, elle aurait préféré trouver la pièce vide.

D'ordinaire, la propension de Barbara à vouloir absolument marier toutes les personnes de son entourage ne la gênait nullement. Cependant, aujourd'hui elle préférerait éviter d'aborder le sujet épineux de sa vie sentimentale...

D'une part, elle n'avait aucune envie de raconter son fiasco lamentable au D'Amore avec Stuart. D'autre part, elle ne voyait pas comment expliquer ce qui s'était passé avec Joe.

Alors qu'elle s'apprêtait à battre discrètement en retraite, sa mère leva la tête de ses dossiers.

— Bonjour, ma chérie. Comment se passe la séance de photos ?

— Elle est terminée.

Barbara la considéra avec attention, un sourire aux lèvres.

— N'aurais-tu pas une bonne nouvelle à m'annoncer, par hasard ?

Riana tressaillit.

Sa mère se leva et fit le tour de son bureau pour la rejoindre.

— Tu es rayonnante. Je crois bien que je ne t'ai jamais vue aussi radieuse. Tu sais, ma chérie, je suis certaine que Stuart et toi vous êtes faits l'un pour l'autre. Rien ne pourrait me faire plus plaisir que de l'avoir pour gendre.

Riana déglutit péniblement.

— C'est terminé avec Stuart, avoua-t-elle d'une voix éteinte en détournant les yeux.

— Oh, quel dommage ! s'exclama Barbara en la serrant dans ses bras. Je suis navrée pour toi. Bien sûr, ravissante comme tu es, tu n'auras aucun mal à trouver un autre fiancé. Mais essaie quand même de ne pas perdre trop de temps à chercher, sinon il ne restera plus un seul célibataire intéressant. Tu n'as pas envie de rester seule toute ta vie, n'est-ce pas ?

Riana sentit son cœur se serrer.

— Serait-ce un problème ? demanda-t-elle.

— Je veux que tu sois heureuse, ma chérie.

— Je ne suis pas obligée de me marier pour être heureuse.

Seigneur ! A qui espérait-elle faire croire ça ? se demanda aussitôt Riana, la mort dans l'âme. Sûrement pas à sa mère, en tout cas…

— Bien sûr, ma chérie, acquiesça Barbara. Après tout, tu as parfaitement le droit de te consacrer exclusivement à ta carrière.

Riana crispa les poings. Le ton peu convaincu de sa mère indiquait clairement qu'elle n'en croyait pas un mot.

Or elle ne voulait pas que celle-ci s'inquiète à son sujet. Et elle tenait à lui prouver qu'elle était capable de réussir à la fois sa vie professionnelle et sa vie privée.

— Je suis fiancée, annonça-t-elle brusquement.

Barbara ouvrit de grands yeux.

— Mais tu viens de me dire que Stuart…

— Oui, je sais. Mais ce n'est pas à Stuart que je suis fiancée. Figure-toi que Joe…

— Joe ? Ce photographe si charmant ?

Sa mère l'embrassa avec fougue.

— Quelle bonne surprise ! Si tu savais comme je suis heureuse ! Mais dis-moi, vous devez vous connaître depuis un certain temps, alors. Pourtant, je ne me souviens pas t'avoir entendue parler de lui.

» Peu importe, de toute façon : c'est une excellente nouvelle ! Joe est un homme séduisant et talentueux. Comme toi. Vous formez un couple bien assorti. Félicitations, ma chérie. »

— Merci, maman.

78

Riana regrettait déjà son aveu intempestif. Que lui avait-il pris d'annoncer ses fiançailles à sa mère ? Si celle-ci savait que Joe et elle venaient de se rencontrer !

— Riana ?

En entendant la voix profonde qui l'appelait dans le couloir, Riana sentit son cœur faire un bond dans sa poitrine. Seigneur ! Il fallait à tout prix éviter une rencontre entre sa mère et Joe. C'était beaucoup trop tôt. Elle avait encore plusieurs détails essentiels à éclaircir.

Mais avant qu'elle ait le temps de quitter la pièce, Barbara lança :

— Elle est ici, Joe ! Venez vite ! Je viens d'apprendre que vous allez bientôt faire partie de la famille, ajouta-t-elle quand Joe entra dans la pièce. Vous ne pouvez pas savoir à quel point j'en suis ravie !

S'avançant vers lui, elle serra le photographe dans ses bras.

— Quelle cachottière, cette Riana ! Comment a-t-elle pu nous cacher votre existence aussi longtemps ? Et surtout, comment a-t-elle pu prêter la moindre attention à Stuart ? Elle l'a échappé belle, vous ne trouvez pas ? Vous aussi, remarquez ! Vous auriez pu la perdre. Enfin, tout est bien qui finit bien. C'est l'essentiel.

— En effet, acquiesça Joe.

Riana plongea son regard dans le sien en roulant des yeux. Il fallait absolument qu'il comprenne qu'il n'était pas question de raconter la vérité à sa mère...

— Cependant, sachez que de toute façon, je me serais débrouillé pour la garder, madame Andrews, ajouta Joe, le plus sérieusement du monde.

— Appelez-moi Barbara, je vous en prie.

Elle se tourna vers sa fille.

— Montre-moi ta bague, ma chérie.

Aussitôt, Riana dissimula sa main gauche derrière son dos en jetant à Joe un regard affolé. Sa mère ne comprendrait jamais qu'il lui ait donné un simple anneau de cuivre. Il faudrait lui fournir des explications.

Or elle en était bien incapable, ayant elle-même du mal à comprendre par quel miracle ils étaient fiancés !

— Je ne lui ai pas encore offert de bague, intervint Joe en se rapprochant de Riana.

Glissant un bras autour de sa taille, il l'attira contre lui.

— C'était une demande en mariage impromptue, en quelque sorte. Nous nous sommes laissé emporter par la magie de l'instant… Vous savez ce que c'est.

— A vrai dire…, non.

Barbara les regarda tour à tour d'un air perplexe.

— Ah, vous les jeunes ! Tara va en être malade… Elle aurait pu vous donner une foule de conseils très précieux pour faire de votre demande un moment exceptionnel.

— Je n'en doute pas. Mais ne vous inquiétez pas, c'était un moment tout à fait exceptionnel, répliqua Joe en couvant Riana d'un regard affectueux qui la bouleversa.

— Après tout, si vous êtes heureux, c'est l'essentiel. Ce soir vous êtes des nôtres, j'espère ? Nous dînons en famille. Il y aura mes deux autres filles et leurs maris, ainsi que Tony, mon compagnon. Ce serait une excellente occasion pour vous de faire la connaissance de tout le monde. Et vous en profiterez pour nous raconter comment vous avez rencontré Riana. Je suis très impatiente d'en savoir plus.

Joe jeta un coup d'œil à Riana. De toute évidence, la perspective de ce dîner ne la réjouissait pas du tout. Ce qui n'était pas surprenant. Elle n'avait sûrement aucune envie d'être confrontée au bonheur conjugal de ses sœurs. Ni d'être harcelée de questions au sujet de ses fiançailles éclair...

— Désolé, mais je ne suis pas libre. Et je crains d'être obligé de vous enlever Riana, ajouta-t-il.

— Oh, vraiment ? s'exclama Barbara, manifestement déçue.

— Oui. Nous avons un engagement auquel nous ne pouvons pas nous soustraire. Mais merci de tout cœur pour votre invitation, Barbara. Une autre fois, peut-être ?

Elle lui sourit avec chaleur.

— Nous nous réunissons tous les vendredis soir.

La ressemblance entre Riana et sa mère était frappante, se dit Joe. Mêmes cheveux noirs, mêmes yeux noirs et même teint mat. Barbara Andrews était charmante, mais elle devait sans doute exercer une forte pression sur sa benjamine pour qu'elle trouve un mari.

Comme toutes les mères. Y compris la sienne, qui lui demandait à tout bout de champ quand il se déciderait enfin à fixer la date de son mariage avec Francine...

— Au plaisir de vous revoir bientôt, Barbara, dit-il en lui faisant la bise.

Puis il prit Riana par la main et l'entraîna dans le couloir.

— J'espère que tu ne m'en veux pas pour le dîner de ce soir, dit-il une fois dans le couloir. J'ai pensé que...

— Tu as eu entièrement raison, coupa-t-elle, visiblement reconnaissante. Je suis ravie d'échapper aux questions de ma mère et de mes sœurs.

— C'est ce que j'ai pensé.

— Ne te méprends pas. Je les aime de tout mon cœur, mais ce soir je n'ai pas envie de dîner en famille.

Il lui pressa doucement la main.

— As-tu des projets ?

Elle haussa les épaules.

— Boire une autre bouteille de vodka ?

Il réprima un juron.

— Pas question ! Que dirais-tu de venir dîner chez moi ?

Mieux valait continuer à veiller étroitement sur elle, décida-t-il. Il devait à tout prix l'empêcher de noyer son chagrin dans l'alcool.

— Je te préparerai un dîner raffiné, ajouta-t-il en souriant.

Il allait l'occuper. La distraire. Lui faire prendre conscience de tous les aspects positifs de sa vie.

— Tu sais cuisiner ? s'exclama-t-elle, visiblement stupéfaite.

— Bien sûr. Je suis un garçon plein de ressources, figure-toi. Alors ? Tu acceptes ? Fais-moi plaisir. Renonce à la vodka pour moi.

— Comment pourrais-je refuser une invitation aussi bien formulée ? répondit-elle avec un sourire joyeux.

Joe sentit une flèche de désir le transpercer. Comme elle était belle ! Elle devait bien s'en rendre compte quand elle se regardait dans un miroir.

Il ne devrait pas être très difficile de lui redonner confiance en elle et lui faire prendre conscience qu'elle méritait beaucoup mieux qu'un mufle tel que Stuart.

8.

Joe referma la porte, ôta sa veste et la suspendit au portemanteau.

Que lui avait-il pris d'inviter Riana à dîner chez lui ? Il aurait sans doute mieux fait de s'abstenir, mais ça avait été plus fort que lui. L'imaginer toute seule en tête à tête avec une bouteille de vodka lui avait été insupportable.

Et de toute façon, il aurait eu trop peur qu'elle commette une imprudence. S'il lui arrivait quelque chose, il ne se le pardonnerait jamais.

Oui, finalement il avait eu raison de l'inviter. Mieux valait rester auprès d'elle. C'était le meilleur moyen de lui apporter un peu de réconfort tout en assurant sa sécurité.

Traversant le hall, il gagna le salon et s'affala sur le canapé. Il posa les pieds sur la table basse et ferma les yeux.

Rentrer dans une maison vide était assez déprimant. Ce serait si agréable de trouver une présence en arrivant. Il avait bien envisagé de prendre un chien, mais du fait de son travail il pouvait être appelé à quitter Sydney du jour au lendemain pendant plusieurs semaines. Que ferait-il du chien pendant son absence ?

Peut-être devrait-il envisager de vendre la maison. Elle était trop grande pour lui. Et malgré les transformations effectuées par le décorateur qu'il avait engagé, il avait toujours l'impression d'habiter chez son oncle. Or l'absence de ce dernier lui pesait. Il avait du mal à se remettre de sa disparition. Joe poussa un soupir. Malgré tout, il n'avait pas le courage de mettre la maison en vente.

L'horloge du hall sonna 17 heures.

Dans deux heures, Riana serait là, songea Joe.

Tout à coup, il se redressa d'un bond. Bon sang ! Francine.

Il décrocha le téléphone d'un geste vif et composa le numéro de sa fiancée.

— Francine Noelene Hartford à l'appareil, annonça-t-elle de sa voix distinguée.

Joe se passa nerveusement la main dans les cheveux.

— Francine, c'est Joe. Ecoute, je suis désolé, mais j'ai un empêchement. Je ne vais pas pouvoir venir ce soir.

— Oh, non ! Tu ne vas tout de même pas me faire faux bond à la dernière minute ! Quel est le problème ?

— Une de mes amies est en pleine dépression, répondit-il en arpentant le salon. Je ne peux pas la laisser seule. Elle a absolument besoin de quelqu'un pour la soutenir.

Après tout, c'était la stricte vérité et Francine ne serait pas surprise. Ne disait-elle pas souvent de lui qu'il était un vrai saint-bernard ? Avec une pointe de désapprobation, d'ailleurs. Car bien qu'elle en connaisse les raisons, elle avait du mal à accepter son besoin de venir en aide aux autres.

Ce n'était d'ailleurs pas la seule chose qu'elle n'approuvait pas dans son style de vie. Elle ne comprenait

84

pas pourquoi il tenait à travailler au lieu de vivre de ses rentes. Ni pourquoi il ne se rasait pas tous les jours. Et encore moins pourquoi il préférait ses jeans et ses T-shirts aux costumes Pierre Cardin que sa mère persistait à lui acheter régulièrement…

Mais ce qui la dépassait le plus, c'était qu'il ait choisi d'habiter la maison de son oncle plutôt qu'un appartement de 200 m² avec terrasse donnant sur le port.

— Allons, dit-elle, ce n'est sûrement pas si grave que ça.

— Je crains que si, répliqua-t-il en crispant les doigts sur le combiné du téléphone. Je pense vraiment qu'il serait dangereux qu'elle reste seule.

— Dans ce cas, tu ferais mieux de l'adresser à un spécialiste. Certains problèmes exigent l'intervention d'un professionnel, tu sais.

Joe s'immobilisa devant la fenêtre du salon et regarda les voitures qui passaient dans la rue, au-delà du jardin.

— Tu as sans doute raison, mais je me suis engagé. Je ne peux pas la laisser tomber maintenant.

— Eh bien, si les problèmes de ton amie sont plus importants à tes yeux qu'une soirée à l'opéra, ça te regarde.

Joe serra les dents.

— Je suis désolé. Je te rappellerai.

— J'espère bien ! N'oublie pas qu'il est grand temps que nous nous mettions d'accord sur une date pour notre mariage. Ta mère et moi nous apprécierions d'être enfin fixées. L'organisation d'un mariage prend un certain temps. Il y a une foule de détails à régler, figure-toi. Si nous voulons nous marier au printemps, il ne faudrait plus trop tarder à entreprendre les démarches.

Joe se raidit. Pourquoi avait-il autant de mal à se décider ?

— Il faut que je vérifie mon planning. Je te promets de te donner une réponse dès que possible.

— A la limite, l'automne est une saison acceptable, déclara-t-elle d'un ton pince-sans-rire. Mais je te préviens que je refuse catégoriquement de me marier en hiver ou en plein été.

— Bien sûr, je comprends.

— Bon, je vais essayer de trouver quelqu'un d'autre pour m'accompagner à l'opéra. Tu es sûr de ne pas vouloir venir ?

— Je ne peux vraiment pas, Francine. Je suis désolé.

Regardant sans les voir les voitures qui défilaient dans la rue, Joe ne put s'empêcher de culpabiliser. C'était la première fois qu'il manquait leur rendez-vous du vendredi soir pour des raisons non professionnelles. Et la première fois aussi qu'il se décommandait à la dernière minute...

— N'oublie pas de choisir une date, déclara-t-elle avant de raccrocher.

Joe fit de même.

Il pouvait se réjouir d'être fiancé à une femme aussi rationnelle et pragmatique que Francine. Elle n'était pas du genre à se laisser submerger par ses émotions. Et jamais elle ne s'abaisserait à lui faire une scène. Finalement, la vie était très simple avec elle.

Il jeta un coup d'œil à l'horloge. Il était temps de songer au dîner.

Si Riana Andrews avait besoin d'un fiancé pour se remettre de sa rupture avec Stuart, il était prêt à jouer ce rôle encore un moment.

Le temps de lui faire prendre conscience que Stuart n'était pas l'homme idéal pour une jeune femme aussi belle, sensible et talentueuse qu'elle.

Debout sur le seuil de la maison, Riana entendit le bruit du taxi qui s'éloignait. Que faisait-elle devant chez Joe ?

Plus elle y pensait, plus elle avait du mal à croire qu'il soit tombé amoureux d'elle au point d'avoir subitement décidé de l'épouser. Ce n'était pas normal. Aucun homme sensé ne se comporterait de cette manière.

Il y avait forcément une explication. Laquelle ? Elle devait profiter de ce dîner en tête à tête pour la découvrir. Cependant, il allait falloir se montrer prudente et ne pas se laisser ensorceler par ses yeux d'or et sa voix veloutée.

Il n'était pas question qu'elle tombe amoureuse de lui tant qu'elle ne serait pas convaincue de sa sincérité. Ce serait un désastre. Elle avait eu son lot d'échecs sentimentaux, et elle ne voulait plus souffrir.

Or curieusement, auprès de Joe, elle se sentait à la fois en confiance et en danger. C'était un sentiment très déstabilisant.

Elle considéra la maison avec curiosité. Ancienne et pittoresque, elle avait beaucoup de cachet. Rien à voir avec l'immeuble luxueux et impersonnel donnant sur le port dans lequel elle avait imaginé Joe...

Situé dans un quartier tranquille, ce pavillon à un étage semblait destiné à abriter une famille plutôt qu'un photographe de mode célibataire. On s'attendait à entendre retentir des rires d'enfants et des aboiements dans le jardin.

Construite en brique rouge, elle devait dater d'au moins un siècle et avait été visiblement restaurée.

De la lumière éclairait les fenêtres à petits carreaux du premier étage et la lanterne du porche était allumée.

Riana prit une profonde inspiration. Dans quelques secondes, Joe Henderson serait devant elle. A son grand dam, elle fut parcourue d'un long frisson d'anticipation. Elle qui ne voulait pas succomber à son charme… Si elle était déjà troublée avant même de se trouver en face de lui, elle risquait d'avoir beaucoup de mal à tenir ses résolutions !

Les joues en feu, elle saisit le gros heurtoir de cuivre et frappa à la porte. Puis elle attendit, le cœur battant, en serrant dans ses bras la bouteille de vin qu'elle avait apportée. Bon sang ! Elle se sentait aussi intimidée qu'une adolescente à son premier rendez-vous.

La porte s'ouvrit.

Joe était toujours vêtu de son jean et de son T-shirt blanc, mais une barbe drue commençait à ombrer ses joues.

Il promena sur elle un regard appréciateur.

Elle déglutit péniblement en s'efforçant d'ignorer les sensations délicieuses qui l'envahissaient.

Décidant de s'habiller avec simplicité, elle avait mis son jean favori, légèrement délavé, avec un corsage rose pâle, de coupe sobre.

Ses bottines préférées, à petits talons, complétaient cette tenue confortable, qu'elle portait souvent chez elle, le week-end. Par ailleurs, elle s'était contentée de se brosser rapidement les cheveux et de se remettre un peu de rouge à lèvres.

S'il persistait à vouloir l'épouser, ce ne serait pas pour sa coquetterie ! En tout cas, la lueur qui brillait dans ses prunelles suggérait qu'il la trouvait à son goût.

— Entre.

Avec un sourire chaleureux, il s'effaça pour lui laisser le passage. Envahie par une douce chaleur, elle lui tendit la bouteille.

— Je t'ai apporté du vin blanc. J'espère que ça ira avec ce que tu as prévu.

— Merci. Je suis heureux que tu sois venue.

Elle pénétra dans le hall en lançant d'un ton désinvolte :

— Je me suis dit que ta compagnie serait sans doute plus agréable que celle d'une bouteille de vodka.

— Je suis très flatté, répliqua-t-il avec dérision.

Elle eut un sourire taquin.

— Et aussi que tu avais sans doute un peu plus de personnalité.

— Merci !

Les joues en feu, Riana détourna les yeux. Mon Dieu ! Pourquoi était-il aussi séduisant ?

L'intérieur de la maison était accueillant et chaleureux.

D'épais tapis de laine recouvraient le parquet du vaste hall, d'où partait un couloir faisant face à l'entrée. Sur la droite, un escalier de bois en colimaçon conduisait à l'étage. A gauche de l'entrée, un portemanteau et un fauteuil anciens, placés contre le mur, précédaient une porte à double battant donnant sur un salon.

— C'est un bel endroit, commenta-t-elle en gagnant le salon.

Un canapé et des fauteuils de cuir anciens en parfait état entouraient une grande table basse de bois. Les murs jaune pâle étaient agrémentés de grands tableaux aux couleurs vives.

Joe l'invita à pénétrer dans la pièce et s'absenta un instant dans la pièce voisine.

Elle huma une délicieuse odeur.

— Ça sent vraiment très bon. Qu'as-tu préparé ? demanda-t-elle quand il revint.

— C'est une surprise, répliqua-t-il avec un sourire malicieux.

Elle l'observa attentivement. Sa chemise et son jean étaient parfaitement propres, tout comme ses mains. Pas la moindre tache ni la moindre trace de farine…

— Aurais-tu l'intention de me servir des plats provenant d'un traiteur en te faisant passer pour un fin cuisinier ?

Il eut une moue exagérément contrite.

— Comment as-tu deviné ?

Riana éclata de rire. Elle en était sûre ! Joe Henderson n'était pas le genre d'homme à s'affairer dans une cuisine, affublé d'un tablier.

— Tu devrais faire ça plus souvent, dit-il de sa voix veloutée.

— Faire quoi ?

— Rire.

Riana déglutit péniblement. Pourquoi la regardait-il ainsi ? Quelle était cette lueur étrange qui venait de s'allumer dans ses yeux d'or ?

Jamais elle n'aurait dû accepter son invitation. Ce dîner avec Joe Henderson s'annonçait très risqué.

9.

— Si nous passions dans la salle à manger ?

Joe entraîna Riana dans la pièce voisine, dont les murs blanc cassé étaient ornés de tableaux aussi colorés que ceux du salon.

A une extrémité d'une table de bois assez grande pour accueillir une douzaine de personnes, deux couverts étaient dressés, face à face.

Légèrement à l'écart des deux assiettes de porcelaine blanche posées sur des sets de lin bordeaux, se dressait un candélabre garni de bougies aux flammes vacillantes. Plusieurs plats munis de couvercles entouraient une corbeille contenant des sortes de galettes.

— Hm ! Ça sent vraiment très bon, commenta Riana en s'asseyant.

— Merci. Ce compliment me touche d'autant plus que j'ai passé des heures dans la cuisine.

Elle ne put s'empêcher de rire.

— Je suis béate d'admiration !

Il s'assit en face d'elle et prit la bouteille de vin qu'il avait mise à rafraîchir dans un seau à glace.

Après l'avoir débouchée, il remplit leurs verres.

— Connais-tu la cuisine indienne ?

— Pas du tout.

— Alors permets-moi de t'initier à ses saveurs exotiques.

Il indiqua les galettes dans la corbeille.

— Voici des *parathas*. C'est du pain cuit sur une plaque en fonte.

Il souleva ensuite le couvercle d'un plat.

— Et voici du riz aux petits pois, délicatement parfumé au safran, pour accompagner notre *matar panir*.

Riana arqua un sourcil en souriant.

— Notre *matar panir* ?

— C'est un plat indien composé de tomates, de pois et de fromage frit.

Joe retira le couvercle de deux autres plats.

— Voici du *vindaloo*, si tu as le goût du risque. C'est plus épicé et relevé que le *matar panir*. Et voilà la *raita*.

Riana vit des concombres qui baignaient dans une sauce épaisse et crémeuse, de couleur blanche.

— Nous avons également des *pakoras* au chou-fleur et à la pomme de terre, poursuivit Joe. Et enfin, du chutney à la mangue.

Il souleva le couvercle d'un petit bol de légumes.

Riana sourit, en proie à une douce euphorie. Il ne savait peut-être pas cuisiner, mais il était toujours aussi attentionné, ce qui était bien plus important.

Il lui tendit une cuillère destinée au service.

— Sers-toi. J'ai pensé que ce serait plus agréable de picorer dans les différents plats. Ça te convient ?

— Très bien.

Elle se servit du riz, des concombres et du mélange de fromage et de tomates.

— Ça paraît succulent. Mais de toute façon, je ne suis pas difficile. Je pourrais manger de la pizza tous les jours, déclara-t-elle.

— Moi aussi !

Etrangement émue, Riana baissa les yeux sur son assiette. Pourquoi avait-elle des réactions de midinette ? Découvrir que Joe et elle avaient des goût communs la ravissait. C'était ridicule !

— Tes parents vivent-ils ensemble ? demanda-t-elle en prenant un *pakora* et un morceau de pain.

— Oui. Ils vont bientôt fêter leurs quarante ans de mariage.

— C'est fantastique !

Ce devait être merveilleux d'avoir des parents unis, songea-t-elle en piquant un morceau de fromage avec sa fourchette. Elle le savoura avec délectation. C'était curieux mais excellent. Ça avait le goût du fromage blanc tout en étant croustillant.

Joe se servit dans chaque plat, disposant les aliments en petits tas dans son assiette.

— Je reconnais que c'est impressionnant, mais il faut préciser que mon père a passé quatre-vingt-dix pour cent de ces quarante années à travailler.

— Son métier le passionne ?

— Oui. Il est dans la finance.

Dire qu'elle ne savait pratiquement rien de son propre père, se dit Riana, le cœur serré. En fait, elle se souvenait à peine de lui.

Elle prit une bouchée de salade de concombre et ferma les yeux. Cette sauce au yaourt était un vrai délice. A en juger par son goût subtil, elle contenait de nombreuses épices.

— Ton père ne t'a pas incité à suivre ses traces ? s'enquit-elle.

— Si, bien sûr. D'ailleurs il n'a toujours pas renoncé. Il ne parvient pas à comprendre que la finance ne m'intéresse pas. Ça le dépasse. Depuis le temps, il devrait pourtant avoir compris que j'aime mon métier et que je n'en changerais pour rien au monde.

— Heureusement ! Ce serait dommage. Tu as beaucoup de talent, d'après ce que j'ai entendu dire.

Il lui jeta un coup d'œil aigu.

— Serait-ce un compliment, mademoiselle Andrews ?

— Oh, excuse-moi, j'ai oublié de t'avertir ! Oui en effet, monsieur Henderson, c'est un compliment.

— Quel événement ! Je n'imaginais pas que tu pouvais avoir une aussi haute opinion de moi, ironisa-t-il.

— Après tout, n'est-il pas souhaitable qu'une femme ait une haute opinion de son fiancé ?

Joe posa sa fourchette.

Pourquoi s'arrêtait-il de manger ? se demanda Riana.

Tout à coup, elle se rendit compte que son compagnon la regardait fixement. Comme s'il s'apprêtait à faire une déclaration de la plus haute importance...

Se mordant la lèvre, elle attendit, le cœur battant.

Mais à sa grande déception, il détourna les yeux, puis prit la bouteille de vin et remplit leurs verres.

Pour rompre le silence qui se prolongeait, elle demanda :

— Tu m'as bien dit que tu étais fils unique, n'est-ce pas ?

Joe reprit sa fourchette et porta à sa bouche un peu de riz qu'il mâcha lentement.

Riana en profita pour manger un morceau de beignet. La pâte était moelleuse et le chou-fleur tendre et parfumé. Succulent...

— Tu ne m'as pas répondu, insista-t-elle.

— Ma sœur cadette est morte il y a plusieurs années, déclara-t-il d'un ton neutre avant de boire une gorgée de vin.

Riana sentit son sang se glacer. Quelle horreur ! Elle ne voulait même pas imaginer qu'une de ses sœurs puisse disparaître. Comment pourrait-elle vivre sans elles ? Elle les adorait l'une et l'autre !

— Je suis désolée, murmura-t-elle.

— Ce n'est rien. Tu ne pouvais pas savoir.

Il but une autre gorgée de vin.

Horriblement gênée, Riana ne savait plus quoi dire.

Mieux valait s'abstenir de parler pendant un moment, décida-t-elle. Si elle goûtait le *vindaloo* ? Comme tout le reste, ce plat sentait merveilleusement bon.

Elle porta une cuillerée à sa bouche. Aussitôt, son palais s'enflamma.

S'empressant de boire une gorgée de vin, elle jeta un coup d'œil à Joe. Pourquoi ne l'avait-il pas mise en garde ? Il ne la quittait pourtant pas des yeux.

— Prends un peu de *raita*. C'est ce qu'il y a de plus efficace, conseilla-t-il d'une voix douce. Excuse-moi, j'aurais dû te prévenir. Je ne pensais pas que ça te ferait un tel effet.

En effet, le yaourt au concombre estompait immédiatement la sensation de brûlure, constata-t-elle, reconnaissante.

Elle prit une autre bouchée de *raita* et la savoura lentement.

— Si tu m'en disais un peu plus sur ton travail ? suggéra Joe au même instant. Quelles sont tes ambitions ? As-tu de nombreux projets ? Je veux tout savoir.

Aurait-il deviné que parler de son travail était toujours un grand plaisir pour elle ? Elle aimait passionnément son métier et avait justement très envie de partager son enthousiasme avec Joe.

Déjà minuit ! C'était incroyable. Elle n'avait pas vu le temps passer, constata Riana.

Tout au long du dîner, elle s'était confiée à Joe avec une spontanéité surprenante. Peut-être était-ce parce qu'il l'avait écoutée avec un intérêt manifeste, lui posant de nombreuses questions.

C'était une expérience toute nouvelle. Jusqu'à présent, la plupart des hommes avec qui elle avait dîné en tête à tête n'avaient pas montré un grand intérêt pour elle. Ils préféraient nettement parler d'eux-mêmes, de leur travail, de leur famille ou de leurs hobbies…

Elle aurait pu rester encore des heures à bavarder avec Joe, mais ça n'était sans doute pas une bonne idée. Le moment était venu de partir.

Même si, cette fois encore, elle n'avait pas réussi à trouver l'occasion — ou le courage ? — de lui poser les questions essentielles.

— Il faut que je rentre, déclara-t-elle en prenant son portable dans son sac.

Quand elle eut raccroché après avoir appelé la station de taxis, elle déclara :

— Une voiture sera là dans dix minutes. Je vais t'aider à faire la vaisselle.

— Ce n'est pas la peine. La femme de ménage s'en chargera.

Riana ne put s'empêcher de rire.

— Décidément ! Monsieur ne fait ni la cuisine ni la vaisselle. Bravo !

Elle se leva et prit deux plats sur la table.

— Je vais au moins t'aider à débarrasser.

Il ramassa les assiettes et l'invita à le suivre.

— Cette maison est vraiment très agréable, commenta-t-elle en arrivant dans la cuisine.

— A l'origine, elle appartenait à mon grand-père. C'est mon oncle qui me l'a léguée, et je ne peux pas me résoudre à la vendre ni à la louer à des étrangers.

Riana posa les plats sur le plan de travail. Comme le reste de la maison, la cuisine avait été visiblement restaurée et modernisée, mais les aménagements d'origine avaient été conservés. A côté des plaques de cuisson et du four ultramodernes, il y avait un four à bois ! constata-t-elle, émerveillée. Quant aux placards, ils étaient en chêne de Tasmanie.

— Je trouve la décoration et les aménagements très réussis, commenta-t-elle, sincèrement admirative.

Joe mit les assiettes dans l'évier.

— Je n'en suis pas entièrement satisfait.

— Pourquoi ?

— Je ne sais pas trop. Il manque quelque chose.

— Moi, je sais ce que c'est, dit Riana en quittant la pièce.

Une fois dans le hall, elle ajouta :

— Cette maison attend une famille.

Joe se passa la main dans les cheveux.

— Tu crois ?

— Oui. Et à ce propos, j'aimerais que nous ayons bientôt une discussion à propos de notre avenir.

Joe enfonça les mains dans ses poches.

— Quand tu voudras.

Le cœur de Riana se gonfla de gratitude. Jamais elle n'avait rencontré un homme aussi patient et compréhensif. De toute évidence, il avait compris qu'elle hésitait encore à s'engager avec un homme qu'elle venait à peine de rencontrer.

— Merci pour cette merveilleuse soirée, dit-elle.

— C'était un plaisir.

En se penchant pour ouvrir la porte, Joe approcha son visage du sien.

Allait-il l'embrasser ? se demanda-t-elle avec un frisson d'anticipation. Elle en avait tellement envie...

Etait-ce seulement la veille qu'elle avait rendez-vous au D'Amore avec Stuart ? C'était incroyable. Cet homme n'était déjà plus qu'un lointain souvenir, déjà presque effacé de sa mémoire. Joe Henderson avait accompli un véritable miracle.

Cependant, elle devait se montrer prudente. Certes, elle avait l'impression de le connaître depuis toujours. Mais ce n'était pas une raison pour oublier qu'elle avait encore des questions essentielles à lui poser.

Tant qu'elle n'aurait pas compris ce qui l'avait poussé à la demander en mariage avec une telle soudaineté, un doute subsisterait dans son esprit.

A l'idée qu'il pourrait ne pas être sincère, elle fut envahie par une profonde tristesse.

— Es-tu... es-tu bien réel ? bredouilla-t-elle d'une toute petite voix.

Joe fixait la porte, au-dessus de sa tête, évitant son regard. Son expression était indéchiffrable. Tout à coup, il baissa les yeux et les plongea dans les siens.

L'atmosphère se chargea d'électricité.

Joe se pencha avec une infinie lenteur.

Il était encore temps de se dérober, se dit confusément Riana. Mais elle ne bougea pas d'un millimètre. Tous les sens en émoi, elle vibrait d'impatience. Joe allait l'embrasser...

Lorsque les lèvres de Joe effleurèrent les siennes avec la légèreté d'une plume, elle sentit tout son corps s'embraser, comme criblé de mille petites flèches enflammées.

Joe captura sa bouche avec avidité.

Fermant les yeux, elle répondit passionnément à ce baiser fervent. Alors qu'elle s'alanguissait contre lui, Joe referma les bras sur elle, l'étreignant avec fougue. Redoublant d'ardeur, il approfondit l'exploration sensuelle de sa bouche.

Submergée par une vague de désir, elle sentit les pointes de ses seins se dresser comme pour percer le tissu qui les séparait du torse puissant de Joe. Se plaquant contre lui, elle oublia toute prudence et toute retenue.

Tout en savourant le velouté de la bouche gourmande de Riana, Joe s'efforçait désespérément de garder un semblant de lucidité. Le contact de ce corps vibrant contre le sien le rendait fou... Il était très tentant de donner libre cours à sa passion et de prendre ce que Riana lui offrait avec tant de générosité.

Non, il ne pouvait pas faire ça... Dans un sursaut de volonté, il parvint à contenir son désir et à s'arracher aux lèvres de la jeune femme, malgré une folle envie de capituler.

Il s'écarta d'elle en se maudissant.

Que lui avait-il pris ? Il n'aurait jamais dû l'embrasser. Il n'en avait pas le droit. C'était de l'abus de confiance...

Rongé de remords, il vit Riana lever vers lui un regard égaré. Puis elle pivota sur elle-même et partit en courant sans un mot d'adieu.

Il resta pétrifié. A quoi était dû cet éclat inquiétant dans ses yeux ? Et pourquoi le quittait-elle sans un mot ?

Etreint par une vive anxiété, il la regarda ouvrir la portière du taxi qui attendait devant la maison. Les pensées se bousculaient dans son esprit. N'étaient-ce pas des larmes qu'il venait de voir perler à ses paupières ?

En tout cas, son air effaré indiquait qu'elle venait de subir un choc violent. Se sentait-elle trahie par ce baiser ? Lui en voulait-elle d'avoir profité de la situation ? Ou bien venait-elle soudain d'être assaillie par le souvenir de Stuart et de son amour perdu ?

Il sentit son estomac se nouer. Il ne pouvait décemment pas la laisser partir seule dans cet état. Elle était capable de n'importe quoi. Y compris de s'arrêter dans n'importe quel bar pour oublier son chagrin.

Joe sentit son sang se glacer. Il fallait la protéger contre elle-même. Regagner sa confiance et continuer de veiller sur elle au moins jusqu'à la fin du week-end.

Lundi matin, il serait toujours temps de l'adresser éventuellement à un professionnel. Mais d'ici là, il ne pouvait en aucun cas risquer de la laisser noyer de nouveau son chagrin dans l'alcool.

Prenant une profonde inspiration, il se précipita dehors et retint la portière du taxi au moment où elle allait la refermer.

— Je crois que tu ferais mieux de t'installer chez moi pour le week-end.

— Pardon ?

Du moins avait-elle retrouvé l'usage de la parole, se dit-il. C'était déjà ça.

— J'aimerais passer le week-end avec toi. En tout bien tout honneur, s'empressa-t-il de préciser pour la rassurer.

Il fallait absolument qu'elle accepte ! pria-t-il intérieurement. Il ne supporterait pas de la savoir livrée à elle-même et il ne pouvait décemment pas la suivre partout.

— Pourquoi ? demanda-t-elle, visiblement réticente.

— Parce que je pense que c'est le meilleur moyen d'apprendre à nous connaître.

— Pourquoi ne pas nous donner rendez-vous et sortir ensemble ?

Pas de doute, Riana n'avait aucune envie de rester, se dit-il, le cœur serré. Sa bouteille de vodka lui manquait-elle à ce point ?

— Nous ne pourrons jamais faire connaissance plus rapidement qu'en vivant sous le même toit pendant deux jours.

— Tu tiens vraiment à savoir que je bois une tasse de chocolat chaud tous les soirs avant de me coucher ? Que j'oublie systématiquement de reboucher le tube de dentifrice ? Que j'aime rester des heures sous la douche et que je ne supporte que l'eau brûlante ?

Joe tira nerveusement sur le col de sa chemise. A vrai dire, imaginer Riana nue sous sa douche était profondément perturbant. Il était si facile d'imaginer ses courbes féminines offertes à son regard, la douceur de sa peau sous ses caresses, le contact affolant de son corps souple et chaud contre le sien…

— Oui, c'est le genre de détails qui m'intéresse, acquiesça-t-il d'une voix rauque.

— Je ne sais pas…

— Allons, insista-t-il avec un sourire enjôleur. Après tout, nous sommes déjà fiancés. La plupart des couples considèrent les fiançailles comme une étape plus difficile à franchir que le fait de passer quelques jours ensemble sous le même toit. Et j'ai une chambre d'amis avec une vue très agréable sur le jardin.

— Tu as peut-être raison.

Elle leva vers lui un regard indécis.

— J'ai un lecteur de DVD et un appareil à pop-corn…, ajouta-t-il. Une brosse à dents neuve à te donner, et tout un tas de T-shirt à te prêter.

A la perspective de la voir se promener dans la maison à moitié nue dans un de ses T-shirts, Joe sentit une vague de désir le submerger. Bon sang ! Dans quel nouveau pétrin était-il en train de se fourrer ? C'était ce qui s'appelait jouer avec le feu…

— J'avoue que ta proposition me tente, déclara-t-elle. Mais je préférerais que nous ne précipitions pas les choses.

— Je suis entièrement d'accord.

Elle inclina la tête d'un air perplexe.

— J'hésite…

— Je te promets de me comporter en parfait gentleman, insista-t-il en priant pour qu'elle accepte de rester.

A son grand soulagement, elle descendit du taxi et referma la portière en se mordant la lèvre inférieure, comme si elle regrettait déjà sa décision.

Il ne fallait surtout pas lui laisser le temps de changer d'avis, se dit Joe en tendant un billet de vingt dollars au chauffeur.

— Merci, dit-il à ce dernier, mais finalement, nous n'avons pas besoin de vous.

Tandis que la voiture démarrait, Joe se tourna vers Riana. Son jean moulait ses courbes comme une seconde peau, ses seins pointaient à travers le tissu fin de son corsage et ses lèvres pulpeuses étaient une véritable invitation au baiser, constata-t-il, foudroyé par un éclair de désir.

Inspirant profondément, il détourna les yeux. Il avait promis de se comporter en parfait gentleman et il tiendrait parole. Pas question d'infliger à Riana des regards lubriques...

Mais quand elle passa devant lui pour regagner la maison, il ne put s'empêcher de savourer le spectacle de sa démarche ondulante. Bon sang ! Rarement il avait vu une femme aussi sensuelle. Etait-ce vraiment une bonne idée de l'avoir invitée à rester ? Comment allait-il réussir à garder son sang-froid ?

Le week-end promettait d'être éprouvant...

10.

Elle avait été incapable de résister à la tentation et elle ne le regrettait pas, se dit Riana en réprimant un sourire joyeux.

Après tout, était-ce si grave de ne pas être héroïque ? Il était déjà étonnant qu'elle ait eu suffisamment de volonté pour s'enfuir en courant quand Joe avait interrompu leur baiser. Si elle était restée une seconde de plus, elle n'aurait pas pu s'empêcher de se jeter sur lui pour prolonger leur étreinte...

Ce baiser inouï lui avait-il fait le même effet qu'à elle ? L'avait-il ébranlé aussi profondément ? Certes, elle en avait eu la certitude sur le moment, mais quand il s'était brusquement arraché à ses lèvres, elle avait cru recevoir une douche glacée.

Heureusement, il l'avait rattrapée avant que le taxi s'en aille. Comment aurait-elle survécu s'il l'avait laissée partir sans un geste ? Elle préférait ne pas y penser.

Se pelotonnant sous le duvet que Joe avait jeté sur le canapé, Riana tenta en vain de se concentrer sur l'écran du téléviseur. Comment avoir envie de regarder un film alors qu'elle avait l'impression d'être en train d'en vivre un ? Le film le plus romantique de toute l'histoire du cinéma…

Elle se sentait si bien dans cette maison ! Et Joe était un compagnon si extraordinaire…

C'était la première fois qu'elle se confiait à un homme avec autant de facilité. Il était si attentif, si compréhensif !

Décidément, le destin ne s'était pas moqué d'elle en lui envoyant Joe Henderson. Il avait vraiment tout du mari idéal.

Et de toute évidence, c'était un homme de parole. Devait-elle s'en réjouir ? Elle n'en était pas certaine. En fait, elle brûlait d'envie qu'il oublie sa promesse et qu'il cesse de se conduire en parfait gentleman !

Quand allait-il l'embrasser de nouveau ? Discrètement, elle passa un doigt sur ses lèvres. Sa bouche garderait à tout jamais l'empreinte du premier baiser de Joe. Pourvu que ça ne soit pas le dernier !

Tout en suivant d'un œil distrait *Terminator*, le film le moins romantique de toute l'histoire du cinéma, elle plongea la main dans le sac de pop-corn et posa les pieds sur la table basse, à côté de ceux de Joe.

La proximité de ce corps puissant dont se dégageait une chaleur intense et un parfum épicé ne faisait qu'attiser son désir.

Joe, qui buvait une bière, lui avait servi un verre de vin qu'il n'avait rempli qu'à moitié. Comme pour lui prouver qu'il n'avait aucune intention de l'enivrer pour l'attirer dans son lit…

Riana laissa échapper un soupir, tandis que sur l'écran, le héros monstrueusement musclé était en train de réduire en poussière un commissariat entier, murs, mobilier et occupants compris.

Curieusement, Joe sembler apprécier le spectacle. Comment pouvait-il concentrer son attention sur le film comme si elle n'était pas là ou pire encore, comme si elle n'était qu'une bonne copine ? Cette situation commençait à devenir lassante.

— As-tu brisé des cœurs, dernièrement ? demanda-t-elle d'un ton qui se voulait désinvolte.

Saisissant la télécommande, il baissa le son, mais sans pour autant quitter l'écran des yeux, constata-t-elle avec dépit.

— Non, répliqua-t-il. Ma dernière rupture doit remonter à cinq ou six mois… et ce n'est pas moi qui en ai pris l'initiative.

— Vraiment ?

Riana prit une poignée de pop-corn avant de demander :

— Pour quelle raison a-t-elle rompu ?

Joe haussa les épaules. Visiblement, il n'avait pas envie de s'appesantir sur le sujet. Ce souvenir serait-il encore douloureux ? se demanda Riana avec un pincement au cœur.

— Parce que je n'étais pas assez déterminé à m'engager sérieusement, d'après elle.

— Je trouve ça difficile à croire. Tu me donnes plutôt l'impression d'être le genre d'homme à foncer sans hésiter.

Il prit une poignée de pop-corn qu'il mâcha lentement avant de répliquer :

— C'est ce que j'ai fait avec toi, en effet.

Envahie par un bien-être délicieux, Riana se blottit encore plus confortablement sous le duvet. C'était un peu comme s'il venait de l'embrasser de nouveau, songea-t-elle, le corps frémissant.

— Et pourquoi pas avec elle ? ne put-elle s'empêcher d'insister.

Joe se tortilla sur le canapé comme s'il était mal à l'aise. Une certaine pudeur, sans doute, se dit Riana avec attendrissement.

— Sans doute parce que je n'avais pas encore trouvé la femme de ma vie, répondit-il au bout d'un moment.

Riana fut submergée par une émotion intense. Quelle façon subtile et élégante de lui confirmer qu'elle était bien la femme de sa vie !

— Quel est ton film préféré ? demanda-t-elle.

Après tout, s'il l'avait invitée à passer le week-end chez lui, c'était pour qu'ils apprennent à mieux se connaître...

Il indiqua l'écran de télévision.

— *Terminator.*

Bien sûr... Elle regarda le monceau de cadavres qui grossissait de seconde en seconde. C'était un choix typiquement masculin. Il n'était pas très inquiétant qu'elle ne partage pas ce goût.

— Et ta musique favorite ?

Il but une gorgée de bière.

— J'apprécie tous les styles de musique, sauf la country, mais j'aime tout particulièrement le rock'n'roll et le hard rock.

— Je pense que je pourrais m'y faire.

Riana promena son regard autour d'elle.

Curieusement, il n'y avait aucun bibelot, aucun objet personnel nulle part. En fait, le décor ne révélait rien de la personnalité de Joe, si l'on exceptait les tableaux accrochés au mur et quelques photos encadrées.

Celle qui se trouvait au-dessus de la télévision représentait une voiture de sport, prise en pleine vitesse à en juger par le flou des contours.

— Ton sport favori ?

— La natation... mais j'aime bien regarder les matchs de foot et les courses automobiles.

— Ton plat préféré ?

— La pizza.

Riana eut un hochement de tête approbateur. Bien sûr ! Ils avaient déjà évoqué leur goût commun pour la pizza. Pour sa part, elle avait dû être mama italienne dans une vie antérieure...

— Et ta destination favorite pour les vacances ? demanda-t-elle en reprenant du pop-corn.

L'Antarctique ou l'Amazonie, sans doute...

Il posa sa bière et se tourna vers elle.

— Les îles grecques.

Le cœur battant, Riana se redressa sur le canapé.

— Je n'y suis jamais allée.

— Tu devrais. C'est magnifique. Les gens sont très accueillants et les paysages fantastiques. La mer est d'un bleu incroyable. La Grèce est vraiment un pays enchanteur pour un photographe.

Riana réprima un frisson. Les yeux de Joe brillaient d'un tel éclat, tout à coup...

— Peut-être pourrais-tu m'y emmener, un jour ?

Les yeux fixés sur elle, Joe se figea. Quelle étrange lueur dans son regard ! se dit-elle. Se pourrait-il qu'il ait envie de l'embrasser mais que la promesse qu'il lui avait faite l'en empêche ?

Frémissante d'anticipation, elle s'humecta les lèvres.

— Oui... bien sûr, finit-il par répondre.

Puis, se tournant de nouveau vers l'écran, il augmenta le son et reprit sa bière.

Après avoir regardé Terminator éliminer d'une chiquenaude une douzaine de passants innocents, Riana ferma les yeux en s'efforçant de réprimer son trouble.

Seigneur ! Joe avait de toute évidence une volonté de fer. Et la ferme intention de tenir sa promesse...

Riana ouvrit lentement les yeux et fut éblouie par la lumière du jour, qui entrait à flots par la fenêtre. Le dîner chez Joe n'était-il qu'un rêve ? se demanda-t-elle en clignant des paupières.

Apparemment non. Elle se trouvait toujours dans le salon de Joe, bien au chaud sous le duvet. En parfait gentleman, il avait dû l'installer confortablement avant de s'éclipser.

Soudain, elle se figea. Ce bruit sourd, tout contre son oreille, c'était un battement de cœur !

Ce n'était pas sur un oreiller que reposait sa tête, mais sur un torse musclé qui se soulevait à intervalles réguliers... Seigneur ! Elle s'était endormie contre Joe, dont le bras lui enserrait la taille...

Sur l'écran de la télévision, la neige scintillait.

Riana prit une profonde inspiration. Un parfum enivrant, mélange de senteur épicée et d'odeur purement masculine, envahit ses narines.

Parcourue de frissons délicieux, elle poussa un soupir d'aise et se blottit de nouveau contre le torse puissant. Comme c'était bon de se sentir protégée par ce bras merveilleusement possessif ! Elle pourrait rester ainsi jusqu'à la fin des temps.

Soudain, des coups énergiques frappés à la porte la firent tressaillir.

Elle se mordit la lèvre. Devait-elle répondre ou réveiller Joe ? Elle se redressa avec précaution. La tête renversée contre le dossier, le visage détendu, il dormait profondément.

Elle se dégagea avec précaution de son étreinte et se laissa glisser lentement du canapé, en prenant soin de ne pas le déranger. Puis elle rabattit le duvet sur lui.

On frappa de nouveau à la porte.

Elle gagna l'entrée sur la pointe des pieds et s'immobilisa. Que faire ? Devait-elle ouvrir ? Pourquoi pas ?

Après tout, elle était fiancée au maître des lieux.

11.

— Bonjour.

L'homme aux cheveux châtains qui se tenait sur le seuil adressa un large sourire à Riana.

— Je suppose que vous êtes la fameuse fiancée. Ravi de faire enfin votre connaissance.

Abasourdie, Riana ouvrit de grands yeux.

— Vous êtes déjà au courant ?

— Bien sûr, répliqua le visiteur, visiblement interloqué par sa réaction. Joe m'a parlé de vous. Même s'il s'est montré d'une discrétion scrupuleuse. Mais je comprends mieux pourquoi, à présent. Vous êtes si belle qu'il préfère vous garder pour lui tout seul.

Les joues en feu, Riana fut envahie par une joie intense. Joe avait déjà parlé de leurs fiançailles à ses amis ? Il tenait donc vraiment à elle !

— Je vous présente toutes mes félicitations. Avez-vous enfin fixé la date du grand jour ?

Riana haussa les épaules.

— Il est encore un peu tôt pour ça.

— Vous avez raison. Pourquoi se presser ?

L'homme promena sur elle un regard appréciateur.

— Joe est très chanceux, dit-il en souriant. Promettez-moi de me prévenir si par hasard vous décidez de laisser tomber ce vieil ours hirsute. Je suis prêt à le remplacer.

Riana réprima un sourire.

— Bien sûr.

— Menteuse.

L'homme regarda derrière elle.

— Est-il là ?

Hochant la tête, Riana s'écarta pour le laisser entrer.

— Bien sûr, mais il dort encore.

L'homme jeta un coup d'œil à l'escalier, qui conduisait aux chambres, à l'étage.

— Par ici, dit Riana en indiquant le salon.

— Vous vous êtes disputés ?

L'homme se dirigea vers le canapé et secoua Joe par l'épaule.

— Déjà relégué sur le canapé alors que vous n'êtes même pas encore mariés ? Pauvre vieux ! Moi qui viens de dire que tu avais de la chance !

— Que se passe-t-il ? demanda Joe d'une voix endormie.

Puis il fixa l'homme d'un air hébété et se redressa d'un bond.

— Que fais-tu là ?

— Je me suis permis de faire entrer ton ami, intervint Riana, embarrassée.

Allait-il lui en vouloir de s'être comportée comme si elle était chez elle ?

— Nous nous sommes endormis devant *Terminator*, ajouta-t-elle d'un air contrit, sans trop savoir pourquoi.

113

Puis elle attendit en se mordant la lèvre.

L'inconnu donna une bourrade à Joe.

— Tu n'as pas honte ? Je t'aurais cru plus romantique !

Il se tourna vers Riana.

— Vous a-t-il également infligé la suite ?

— Je ne sais pas ; je crois que je n'ai même pas vu la fin du premier.

Elle déglutit péniblement. Pourquoi Joe la fixait-il ainsi ?

— Je vous laisse. Je vais me préparer, annonça-t-elle en indiquant la direction de la salle de bains du rez-de-chaussée qu'elle avait utilisée la veille.

Puis elle pivota sur elle-même et s'empressa de quitter la pièce.

— Bon sang, Joe ! Elle n'est sûrement pas aussi snob que tu le prétends ! Et beaucoup plus sensuelle ! Dire que tu m'a décrit une femme à l'abord froid et hautain… Tu exagères !

Dans le couloir, Riana se figea. Snob ? Froide ? Hautaine ? Certes, le soir de leur première rencontre, au club, Joe s'attendait à voir arriver une styliste « dotée d'un ego démesuré ». Mais depuis, il avait forcément changé d'avis, non ?

Et de toute façon, comment cet ami pouvait-il être au courant de leurs fiançailles si Joe ne lui avait parlé que de leur première rencontre ?

Elle ouvrit la porte de la salle de bains. Quelque chose clochait. Joe l'avait-il choisie comme épouse avant même de la rencontrer ? Avait-il une liste de critères précis auxquels elle correspondrait ? Avait-il en tête un mariage de raison et non un mariage d'amour, comme il le prétendait ?

Etreinte par une profonde angoisse, Riana était aux cent coups. Seigneur ! Que lui arrivait-il ? Elle ne comprenait plus rien. C'était un véritable cauchemar.

Refermant la porte derrière elle, elle s'y adossa en fermant les yeux. Joe était si attentif, si prévenant... Il l'avait embrassée avec une telle passion... Se pourrait-il qu'il lui joue la comédie depuis le début ?

Elle secoua la tête. Non, c'était impossible. Joe ne pouvait pas être un tel monstre. Il ne fallait pas céder à la panique : il existait sûrement une explication.

Prenant une profonde inspiration, elle releva le menton. Après tout, s'il avait prémédité ce mariage, pourquoi lui aurait-il demandé sa main sur une impulsion, une nuit où ils n'étaient même pas censés se voir ?

Bien sûr ! se dit-elle tout à coup. C'était évident ! Comment n'y avait-elle pas pensé plus tôt ?

Joe avait eu le coup de foudre pour elle au club, le soir de leur première rencontre. Or la deuxième fois qu'ils s'étaient vus, elle lui avait annoncé ses fiançailles imminentes avec Stuart... Et le soir même, quand elle était revenue à Satin Blanc avec sa bouteille de vodka, elle lui avait fait part de sa rupture avec ce même Stuart.

Son soulagement avait dû être si intense qu'il n'avait pas hésité à saisir sa chance. Improvisant avec un romantisme échevelé, il l'avait demandée en mariage sur-le-champ...

Quant à son ami, il devait confondre ce que Joe lui avait dit après leur première rencontre au club, puis après leurs fiançailles.

Un sourire aux lèvres, elle ouvrit le robinet d'eau froide et s'aspergea le visage. Joe Henderson ne pouvait pas lui jouer la comédie. Il l'aimait. Malgré les doutes qui l'assaillaient par moments, tout au fond d'elle-même, elle en avait la certitude.

L'esprit confus, Joe considéra son ami Brian avec perplexité.

— Que fais-tu là ?

— Je suis venu te chercher pour aller au club de sport.

Joe jeta un coup d'œil vers le couloir. Brian avait vu Riana. Il lui avait parlé. Bon sang. Ce n'était pas prévu.

Il se passa nerveusement la main dans les cheveux.

— Que lui as-tu dit ?

— A ta fiancée ? Que veux-tu que je lui dise ? Bonjour. Et aussi qu'elle était belle.

Brian haussa les épaules d'un air penaud.

— Et que si elle renonçait à t'épouser, j'étais prêt à prendre ta place.

Joe eut l'impression de recevoir un coup de poing dans l'estomac.

— Pardon ?

— Je plaisantais, bien sûr, s'empressa de préciser Brian.

Il regarda attentivement Joe.

— Tu vas bien ?

— Non.

116

Joe se caressa nerveusement la barbe. De mieux en mieux. Voilà que Brian prenait Riana pour Francine… Bon sang ! Il fallait dissiper ce malentendu au plus vite.

— Excuse-moi, vieux, déclara Brian, visiblement embarrassé. Je comprends que tu m'en veuilles.

— Vraiment ?

— Bien sûr. Si j'avais une fiancée aussi sublime, je serais fou de jalousie chaque fois qu'un homme lui adresse la parole. Je te promets de ne plus jamais faire de plaisanteries stupides. C'était juste…

— Brian. Ce n'est pas ce que tu crois.

Ce dernier hocha la tête avec un regard appuyé sur la couette et le divan. Il leva les mains.

— D'accord. Pas de problème. Ce que tu fais avec ta fiancée ne regarde que toi.

— Ce n'est pas ma…

— Joe, il faut que je m'en aille, annonça Riana en faisant irruption dans la pièce, les cheveux humides. Je vous laisse tous les deux…

— D'accord.

Joe réprima un soupir de soulagement. Il allait pouvoir expliquer tranquillement le malentendu à Brian, aller voir Francine pour se faire pardonner de ne pas l'avoir accompagnée à l'opéra et laisser Riana Andrews se débrouiller seule…

Impossible. C'était trop risqué. Il ne supporterait pas d'avoir une autre mort sur la conscience…

Il se redressa d'un bond.

— Non… Je vais te reconduire, dit-il.

Riana secoua la tête et son épaisse chevelure brune balaya ses épaules.

— Ce n'est pas la peine. Je vais appeler un taxi.

— J'ai une voiture, insista Joe. Je préfère passer encore un moment avec toi plutôt que d'aller faire du sport.

— Merci ! lança Brian d'un ton faussement vexé. Enfin, je te pardonne, va...

— Je vais chercher mon sac, déclara Riana.

Brian donna une bourrade à Joe.

— Tu devrais essayer de te calmer, mon vieux. A mon avis, tu es beaucoup trop possessif. Tu vas la faire fuir.

Se passant la main dans les cheveux, Joe se mit à arpenter le salon.

— Tu ne comprends pas. Elle me rend fou.

Brian eut un sourire malicieux.

— Il paraît que c'est un des effets de l'amour.

Joe secoua la tête. L'amour. Il fallait absolument qu'il explique la situation à Brian, mais tant que Riana était là, c'était impossible. Et à vrai dire, il n'était pas certain d'être capable de l'expliquer clairement...

Il rentra son T-shirt dans son jean.

— C'est curieux, dit Brian. Vu la manière dont tu me parlais de ta fiancée, je n'avais pas du tout l'impression qu'elle t'inspirait une telle passion. Jamais je n'aurais imaginé te voir tourner en rond comme un fauve en cage à cause d'elle.

Joe darda sur son ami un regard noir. S'il savait !

— Si tu t'en allais ? suggéra-t-il d'un ton rogue.

— Pas de problème. Salut vieux. Embrasse-la pour moi.

Joe sentit son estomac se nouer. L'image des lèvres pulpeuses de Riana s'imposa à son esprit. Bon sang ! Quand allait-il parvenir à effacer de sa mémoire le baiser enflammé qu'ils avaient échangé ?

Le baiser qui avait hanté ses rêves toute la nuit.

Dire qu'elle avait passé la nuit dans ses bras... Elle l'avait soumis à une véritable torture et il avait bien cru qu'il ne parviendrait pas à résister à la tentation.

Quand elle avait glissé contre lui, il n'avait pas bougé, paralysé par la crainte de céder à son désir.

Dieu merci, le sommeil avait fini par l'abattre.

Craignant que sa voix trahisse son émotion, il se contenta de hocher la tête en réponse à Brian et entraîna ce dernier vers la sortie.

— Je dois avouer que j'étais sceptique concernant ton projet de mariage, déclara son ami. Mais à présent que j'ai rencontré ta future épouse, je n'ai plus aucun doute. Félicitations. Et tous mes vœux de bonheur. C'est une femme fantastique. Je suis certain qu'elle sera une épouse merveilleuse et une mère parfaite pour tes enfants.

— Mes enfants..., répéta Joe.

Si Brian savait qu'avoir des enfants était tout à fait secondaire pour Francine... Sa carrière passait avant tout et elle n'avait nullement l'intention de la sacrifier. Bien sûr, il n'avait pas encore pu se résoudre à l'avouer à son ami.

— Oui, tes enfants, répéta Brian. Je sais à quel point tu as envie d'en avoir, insista Brian.

Il feignit de tendre l'oreille.

— Je les entends déjà trottiner dans le couloir.

La gorge de Joe se noua.

— Au revoir, ajouta Brian. Je te verrai quand tu...

S'interrompant, Brian regarda par-dessus l'épaule de Joe, les yeux brillants.

Joe se raidit.

— Quand tu auras la force de t'arracher à la compagnie de cette charmante personne, termina Brian avec un sourire malicieux avant de s'en aller.

Joe ferma la porte et se retourna vers Riana.

— Je suis désolé.

Elle eut un petit haussement d'épaules.

— Tu n'as aucune raison de l'être. Ton ami semble charmant.

— Les apparences sont parfois trompeuses ! lâcha Joe d'un ton brusque.

Que lui prenait-il ? se demanda-t-il aussitôt. Brian et lui étaient amis depuis toujours. C'était l'un des hommes les plus estimables qu'il connaissait. Pourquoi éprouvait-il soudain une telle agressivité envers lui ?

— Es-tu jaloux parce qu'il m'a dit que j'étais belle ? demanda Riana en s'approchant de lui.

— Pas du tout ! protesta-t-il avec agacement.

— Tu n'as aucune raison d'être jaloux, insista-t-elle.

Non, en effet, songea-t-il. Pour la bonne raison qu'elle n'était pas sa fiancée…

A son grand dam, elle lui caressa la joue d'un geste tendre.

— Joe Henderson, murmura-t-elle. Sais-tu que tu es un homme exceptionnel ?

Joe sentit un frisson le parcourir. Bon sang. Si elle s'approchait encore, il ne répondrait plus de rien.

Cette situation ne pouvait plus durer. Il courait à la catastrophe et il risquait d'entraîner avec lui deux innocentes qui avaient le tort de lui faire confiance. Comment avait-il pu se mettre dans un tel pétrin ? C'était insensé !

Il fallait à tout prix mettre les choses au clair. Mais comment avouer la vérité à Riana sans lui infliger une blessure qui risquait d'être fatale ?

— Joe Henderson, répéta-t-elle en posant l'index sur son torse. Tu n'as aucune raison d'être jaloux. J'ai pris ma décision. Je veux t'épouser. Même après avoir fait la connaissance de ton charmant ami…

— Vraiment ? demanda-t-il d'un ton crispé.

— Oui.

Elle fit courir son doigt sur son torse, le mettant au supplice.

— Et je veux être la mère de tes enfants.

Une émotion indicible submergea Joe.

Aurait-elle entendu sa conversation avec Brian ? En tout cas, c'était la première fois qu'une femme lui faisait une telle offre. Il ouvrit la bouche, mais aucun son n'en sortit.

12.

— Qu'en dis-tu ? demanda-t-elle en continuant de lui caresser le torse du bout de l'index.

— Sincèrement, je suis très touché que tu veuilles être la mère de mes enfants.

— C'est tout ?

— Et je trouve que tu es extraordinairement belle.

Bon sang ! Il fallait absolument qu'il parvienne à se maîtriser. La situation était déjà assez compliquée.

Malheureusement, Riana lui inspirait un désir d'une intensité inouïe. Il brûlait de l'attirer contre lui pour s'emparer de nouveau de sa bouche gourmande, goûter la douceur de ses lèvres, sentir contre son torse les pointes dressées de ses seins...

— Il faudrait que nous discutions de nos fiançailles, dit-elle en le regardant dans les yeux.

— Oui.

Joe s'éclaircit la voix. C'était le moment. Il fallait tout lui avouer. Maintenant. Avant d'être définitivement dépassé par les événements.

— Stuart..., commença-t-il.

Le visage de Riana s'assombrit instantanément et elle détourna les yeux. Apparemment, le seul fait d'entendre le nom de ce goujat suffisait à rouvrir la blessure qu'il lui avait infligée… De toute évidence, celle-ci ne voulait pas se cicatriser.

— Oublions Stuart, reprit Joe.

— Oui, murmura-t-elle en plongeant son regard dans le sien. Je préfère penser à toi.

Il lut une telle promesse dans ses yeux que son désir en fut décuplé.

Se hissant sur la pointe des pieds, elle effleura ses lèvres des siennes.

Les goûta.

Les savoura.

Leurs bouches s'entremêlèrent, se fondirent l'une dans l'autre. Et l'incendie qui couvait entre eux se déclencha.

Jamais encore un baiser ne lui avait fait un tel effet, songea confusément Joe. Ce qui lui arrivait était encore plus prodigieux que la première fois.

Impossible de résister à un tel tourbillon.

Les mains de Riana se promenèrent sur son torse, dessinant les contours de ses muscles, faisant bouillonner son sang dans ses veines, attisant encore son désir. Puis elle approfondit son baiser, lui caressant la nuque, et, se plaquant contre lui, elle l'invita à franchir un nouveau cap.

Toute pensée cohérente abandonna Joe et il cessa de lutter.

Serrant Riana dans ses bras à l'étouffer, il se délecta du plaisir diabolique de sentir ses seins s'écraser contre son torse, le titillant de leurs pointes.

Fou de désir, il la plaqua contre le mur tout en répondant à son baiser avec une passion sauvage, presque désespérée. Jamais il n'avait goûté des lèvres aussi douces et brûlantes à la fois…

Soudain, il eut un sursaut de lucidité. Il fallait absolument qu'il parvienne à contenir sa faim. Riana n'était pas sa fiancée. Il ne pouvait pas continuer à lui mentir. Et encore moins à abuser de sa confiance. C'était impossible. Au prix d'un effort surhumain, il s'arracha à ses lèvres et s'écarta d'elle.

— Riana, il ne faut pas…

Avant qu'il ait le temps d'en dire plus, elle s'empara de nouveau de sa bouche, le réduisant au silence. Mêlant sa langue à la sienne en une joute sensuelle, elle l'embrassa avec une ardeur redoublée.

Bon sang. Il n'était pas de taille à lui résister. Peut-être Riana avait-elle besoin d'effacer complètement ce maudit Stuart de son esprit…

Avec des gestes fiévreux, elle lui enleva son T-shirt et le lança à terre, puis se mit à lui caresser le dos, faisant courir ses doigts sur sa peau brûlante. Il laissa échapper un soupir.

Riana se laissait emporter par la fièvre sensuelle qui la dévorait. Jamais encore elle n'avait éprouvé un élan aussi instinctif pour un homme, au point d'en être électrisée tout entière et de perdre toute inhibition.

Une passion incontrôlée montait en elle, contre laquelle elle ne pouvait pas lutter. D'ailleurs, même si elle en avait été capable, elle ne l'aurait pas voulu. La perspective de s'unir à Joe, de sentir ses mains et ses lèvres brûlantes courir sur sa peau pour explorer son corps la mettait en transe.

Les lèvres de Joe quittèrent sa bouche pour descendre le long de son cou et parsemer celui-ci de baisers, avivant le feu qui la dévorait.

Les yeux brillants d'une lueur inquiétante, Joe s'écarta d'elle.

Le cœur de Riana fit un bond dans sa poitrine. Cette fois, pas question de le laisser interrompre leur étreinte. Refermant une main sur sa nuque, elle l'attira de nouveau contre elle, goûtant la peau de son épaule, se délectant des grognements qu'elle déclenchait.

Joe déposa un baiser sur la veine qui battait à son cou, tandis que sa main descendait jusqu'au creux de ses reins, épousait le galbe de sa hanche, caressait son ventre, puis remontait lentement jusqu'à un sein, sur lequel elle se referma.

Laissant échapper un gémissement de plaisir, Riana se cambra, emportée par une vague de sensualité brûlante. Jamais aucun homme n'avait déclenché en elle une telle explosion de sensations exquises. Elle en perdait la tête...

Quel miracle de sensualité ! songea Joe en se délectant de la douceur du globe laiteux qui frémissait sous sa paume. Riana allumait en lui un désir insatiable. Il brûlait d'explorer son corps pendant des jours et des nuits entières, d'entreprendre avec elle le voyage fabuleux qui les conduirait jusqu'au sommet de la volupté.

Si elle s'offrait à lui, pour quelle raison la repousserait-il ?

Parce qu'elle croyait qu'il allait l'épouser et fonder une famille avec elle, répondit une petite voix intérieure qui lui fit l'effet d'une douche glacée.

Interrompant ses caresses, il s'écarta de Riana en luttant désespérément contre le feu qui le consumait.

— Riana, murmura-t-il d'une voix rauque. Il ne faut pas.

Ce n'était pas en trahissant sa confiance qu'il parviendrait à la guérir de ses blessures.

— Tu ne me désires pas ? demanda Riana d'une voix mélodieuse, un sourire mutin aux lèvres.

Il passa nerveusement la main dans ses cheveux. Bon sang. Elle savait parfaitement qu'il était fou de désir pour elle. Comment pourrait-elle l'ignorer ?

Il prit une profonde inspiration. C'était le moment où jamais de faire preuve d'héroïsme.

— C'est trop tôt, dit-il d'une voix rauque. Je ne veux pas précipiter les choses. Je t'ai fait une promesse et je veux la tenir.

— Oh.

La tête légèrement inclinée, Riana le fixa de ses grands yeux sombres.

— Tu tiens à me prouver que tu me respectes ?

— Oui.

Il se serait conduit en héros au moins une fois dans sa vie, se dit Joe avec une dérision amère.

Il lâcha la main de Riana et ouvrit la porte d'entrée d'un mouvement brusque.

Il fallait absolument mettre de la distance entre eux avant que le peu de raison qui lui restait l'abandonne.

Riana ramassa son sac et sortit. Se retournant vers lui, elle dit d'une voix très douce :

— Merci pour le dîner et pour tout le reste.

— Ça va aller ?

— Oui. Je vais travailler. J'ai plusieurs retouches à faire sur les robes avant le défilé.

Elle s'humecta les lèvres avant de demander d'une voix hésitante :

— Tu m'appelles ?

— Bien sûr.

Il ne put réprimer un sourire attendri. Elle était si émouvante avec son air fragile, ses lèvres pulpeuses et ses grands yeux noirs dans lesquels il risquait à tout instant de se noyer...

Il la regarda s'éloigner. La voir onduler des hanches était une véritable torture...

Dire qu'il aurait pu continuer de la serrer dans ses bras et plonger avec elle dans un océan de sensualité brûlante...

Il fit un effort pour se ressaisir.

Riana Andrews était une jeune femme blessée par une déception amoureuse. L'attirance mutuelle qu'ils éprouvaient l'un pour l'autre n'était qu'un feu de paille qui s'éteindrait aussi vite qu'il s'était allumé.

Rien de plus.

Rien qui mérite de lui faire oublier Francine. Sa fiancée.

— Joe, je sais que tu as des horaires de travail farfelus, mais un coup de téléphone par jour n'est pas trop demander, je suppose ?

— Non, répliqua-t-il en crispant les doigts sur le combiné.

Pourquoi ne parvenait-il pas à chasser de son esprit le souvenir des lèvres pulpeuses de Riana ?

Parce que chacun de ses baisers était un pur délice qui le bouleversait comme aucun de ceux de Francine ne l'avait jamais fait ?

Il fallait reconnaître que la jeune styliste mettait dans ses baisers beaucoup plus de fougue que la décoratrice d'intérieur la plus en vue des quartiers chic de Sydney. Cependant, ce n'était pas une raison pour tourner le dos à sa vraie fiancée et décevoir sa famille.

Ses parents appréciaient beaucoup Francine. Sa mère et elle étaient membres des mêmes clubs. Elles aimaient les mêmes opéras. Elles allaient ensemble aux mêmes défilés de mode.

Joe s'assit dans un fauteuil et contempla le canapé sur lequel Riana et lui avaient dormi ensemble. Puis il regarda la porte devant laquelle ils avaient échangé ces incroyables baisers enflammés.

Si Riana hantait ses pensées, c'était tout simplement à cause de sa sœur, se répéta-t-il pour la énième fois. C'était uniquement parce qu'il s'inquiétait pour la jeune femme qu'il ne pouvait s'empêcher de se demander en permanence où elle était, ce qu'elle faisait, dans quel état d'esprit elle se trouvait.

Avait-il agi avec elle comme il le devait ? En fait, au cours des dernières vingt-quatre heures, il s'était contenté de savourer chaque instant passé en sa compagnie, sans se préoccuper outre mesure des conséquences de ses actes. En d'autres termes, il avait fait preuve d'un égoïsme insensé.

Un jour ou l'autre, il faudrait bien qu'il lui avoue la vérité. Comment réagirait-elle ? Ne finirait-il pas par la faire souffrir encore plus que Stuart ? Lequel était le plus mufle des deux ?

— J'ai beaucoup de problèmes à régler en ce moment, dit-il d'une voix égale dans le combiné.

— Cette amie dépressive, je suppose ?

Il déglutit péniblement.

— Entre autres, oui.

— Combien de fois faudra-t-il te répéter que tu es ridicule de vouloir jouer à tout prix les saint-bernard ? Je suis sûre que tous ces gens à qui tu portes secours abusent de ta gentillesse. J'espère au moins que tu ne leur prêtes pas d'argent. Tu sais à quel point il est facile de se faire escroquer.

Joe réprima un soupir exaspéré.

— Ne t'inquiète pas. Le soutien que j'apporte à tous ces gens, comme tu dis, est avant tout moral. Certaines personnes ont besoin qu'on leur tende la main pour les aider à traverser des moments pénibles. Ce n'est pourtant pas difficile à comprendre.

Francine poussa un profond soupir sans chercher à le réprimer.

— Admettons. Mais par ailleurs, tu n'as vraiment pas besoin de travailler autant. Je disais justement à ta mère que tu pourrais te permettre de t'accorder plus de loisirs avec tout l'argent que tu as investi.

— J'aime mon travail.

— Eh bien…

— Excuse-moi, il faut que j'y aille, coupa-t-il d'un ton égal.

Quand donc Francine comprendrait-elle qu'il était inutile de lui faire la morale ? se demanda-t-il avec agacement.

— Joe ! Je n'arrive pas à y croire ! Tu n'as pas oublié qu'il faut que nous nous mettions d'accord sur une date pour le mariage, je suppose ?

— Bien sûr que non.

Joe se sentit soudain oppressé. Il n'était pas prêt. Francine était impatiente. Ses parents également. Mais pour sa part, il n'était pas encore prêt.

— Tôt ou tard, il faudra bien que tu finisses par te décider, déclara-t-elle d'un ton sentencieux. Je sais bien que tu es toujours perturbé par la disparition de ton oncle, mais son décès date déjà de plusieurs années.

» Il est temps que tu parviennes à l'accepter et à tourner la page. C'est ce qu'il aurait voulu lui-même, Joe... Joe ? Tu m'écoutes ? »

Il leva les yeux au ciel.

— J'arrive. Il vaut mieux que nous discutions de tout ça de vive voix.

— Pas maintenant, je suis sur le point de sortir. Je passe la journée au club avec des amis. Demain, je vais chez mes parents. Lundi, je suis prise toute la journée, mais je peux peut-être me libérer le soir pour le dîner. Qu'en dis-tu ?

— Parfait.

Joe raccrocha. Cette conversation l'avait vidé de toute énergie, constata-t-il. Il était comme anesthésié.

Bien sûr, Francine avait raison. Il n'y avait aucun doute là-dessus. Mais le ton sur lequel elle lui parlait n'était plus supportable. Il allait falloir mettre les choses au point.

Les coudes sur les genoux, il se prit la tête à deux mains, en proie à la plus grande confusion. Pouvait-il annuler ses fiançailles avec Francine ? Etait-ce cela qu'il souhaitait au fond de lui, ou bien connaissait-il juste un passage à vide qui n'exigeait pas de tout remettre en question ?

Pour aller de l'avant, peut-être avait-il juste besoin d'être entièrement rassuré sur l'état de Riana. D'être certain qu'elle s'était remise de sa rupture et qu'elle ne risquait pas de connaître le même sort que sa sœur.

Comment expliquer ce poids qui l'oppressait ?

Riana lui manquait.

Joe se raidit. Pas de doute. Il l'aimait et il avait envie de la garder auprès de lui.

Il fallait absolument qu'il lui avoue la vérité au plus vite. Il voulait tout recommencer. Repartir de zéro. Sans mensonges ni faux-semblants.

Même si l'attirance qu'elle éprouvait pour lui n'était due qu'à sa récente déception amoureuse, il y avait peut-être une chance pour que ses sentiments évoluent.

Joe laissa échapper un profond soupir. Quel soulagement d'avoir enfin su reconnaître sa vérité !

A présent il savait exactement quoi faire pour rester en accord avec lui-même.

Avant tout, il fallait annoncer sa décision à Francine. Une fois ce problème définitivement réglé, il serait enfin libre d'aimer Riana.

Dans deux jours, il pourrait lui avouer son amour.

Il pouvait bien attendre deux jours. Que pouvait-il se passer en deux jours ?

De toute façon, ils étaient déjà fiancés.

13.

— Il faut que tu m'aides.

Maggie referma la porte du bureau de Riana.

— Je sais, tu me l'as déjà dit au téléphone, et c'est pour ça que je suis venue. Même si je ne vois pas en quoi je peux t'être utile. Je ne suis pas couturière.

Riana balaya cette réflexion d'un geste de la main.

— Bien sûr. Ce sont Ang et Becky qui vont m'aider pour les retouches. Toi, il faut que tu m'aides à résoudre mon problème avec Joe.

— Avec Joe ?

Riana se boucha les yeux comme si cela pouvait effacer tout ce qui s'était passé au cours des dernières quarante-huit heures.

Que lui arrivait-il ? Elle ne savait pas trop. En revanche, elle avait la certitude que quelque chose clochait. Elle le sentait au poids qui l'oppressait.

C'était d'autant plus perturbant que Joe lui manquait terriblement.

Depuis qu'elle était partie de chez lui la veille, elle était continuellement parcourue de frissons, et le simple fait de penser à lui la mettait dans tous ses états.

Par ailleurs, une question l'obsédait : de son côté, que ressentait-il ?

De toute évidence, il avait soudain eu hâte qu'elle s'en aille. Etait-ce réellement parce qu'il tenait à lui prouver son respect ? Ou y avait-il une autre raison à son attitude ?

Elle se mordit la lèvre. Partageait-il ses sentiments pour lui ? Elle aurait tellement voulu le savoir ! Cette incertitude la rongeait.

Pourquoi ne lui avait-il pas dit qu'il l'aimait ?

— Laisse-moi deviner ton problème..., dit Maggie en feignant de réfléchir. Tu es tombée dans le lit de ce superbe photographe qui veut t'épouser.

Riana secoua la tête.

— Non. Si. Enfin, presque.

Maggie arqua les sourcils.

— Je dois avouer que j'ai du mal à faire le tri dans tous ces signaux contradictoires. As-tu passé une folle nuit d'amour avec lui, oui ou non ?

— Non.

Riana ferma les yeux. Seigneur ! Voilà que le souvenir de ses baisers et de ses caresses menaçait de nouveau de la rendre folle.

— Alors que s'est-il passé ?

— Nous nous sommes embrassés passionnément et...

Riana s'affaissa contre son bureau.

— Je crois que je suis tombée amoureuse de lui.

— Eh bien, c'est merveilleux ! commenta Maggie avec un sourire ravi.

En proie à l'anxiété, Riana secoua la tête avec énergie.

— Tu ne comprends pas. Je ne peux pas l'aimer.

— Pourquoi donc ? Il est trop séduisant ? Trop talentueux ? Trop amoureux ? ironisa Maggie.

Riana bondit sur ses pieds en relevant le menton.

— Je refuse de tomber amoureuse d'un homme qui pourrait me briser le cœur.

— Tu plaisantes, j'espère ?

— Pas du tout. Je suis sûre qu'il me cache quelque chose et je veux que tu m'aides à découvrir quoi. Ainsi, j'aurais enfin la confirmation qu'il est aussi peu digne de confiance que tous les autres hommes que j'ai rencontrés.

— Excuse-moi, mais cette démarche ne me paraît pas très saine. Puis-je me permettre de te demander pourquoi tu t'es mis cette idée en tête ? Pourquoi cherches-tu une raison de fuir l'homme que tu aimes ?

— Je ne veux pas risquer de souffrir une fois de plus.

— Voyons, Riana ! En amour, on n'a jamais aucune garantie.

— Eh bien, moi j'en veux.

Et si elle ne parvenait pas à les obtenir, elle resterait célibataire, se dit Riana. Elle préférait encore la solitude à la souffrance.

— Tu n'as pas besoin de moi pour faire tes recherches, déclara Maggie. Tu peux très bien te débrouiller toute seule.

— J'ai besoin de ton soutien. Allons dans ton bureau.

— Tu as peur ? demanda son amie tandis qu'elles gagnaient la réception.

— Je suis terrifiée.

D'ailleurs, que craignait-elle le plus ? D'apprendre que Joe soit un horrible manipulateur ? Ou d'avoir la confirmation qu'il était aussi généreux et humain qu'il le paraissait ? A vrai dire, les deux hypothèses la terrifiaient autant l'une que l'autre. Dire qu'elle l'avait laissé percer son armure et trouver le chemin de son cœur...

Arrivée à son bureau, Maggie rangea son sac dans son tiroir, puis s'assit.

— Et les couturières ? Elles n'ont pas besoin de toi ? demanda-t-elle en allumant son ordinateur.

— J'irai les voir tout à l'heure. Je leur ai donné de quoi s'occuper.

Riana se mordilla nerveusement la lèvre. Avant de se remettre au travail, elle voulait tout savoir sur Joe Henderson.

La veille, elle avait passé la plus grande partie de la journée à contempler sa dernière création en caressant l'étoffe soyeuse et en se demandant si elle connaîtrait bientôt le bonheur d'en porter une semblable.

— C'est parti, annonça Maggie en se connectant à Internet. Qu'est-ce qui a déclenché tes soupçons ?

Riana haussa les épaules.

— Rien de spécial. J'ai un pressentiment, c'est tout.

— Dans ce cas, commençons par récapituler tous les renseignements que tu possèdes déjà. Nous savons par les mannequins qu'il est membre de plusieurs associations d'entraide. Quoi d'autre ?

Riana réfléchit un instant.

— Il aime la pizza, les films d'action, les îles grecques et il vit dans une grande maison ancienne en banlieue.

— Tiens ? Je l'aurais plutôt imaginé dans un loft ou dans un appartement avec terrasse, commenta Maggie en lançant une recherche.

— Eh bien, non. Il a une maison qui n'attend plus que des enfants pour être parfaite.

Maggie releva vivement la tête.

— Il t'a dit qu'il voulait des enfants ?

— Il veut que *nous* ayons des enfants.

Au souvenir des paroles de Joe et du regard éperdu dont il l'avait enveloppée au moment où elle avait abordé ce sujet, Riana sentit une vague de désir la submerger.

— Tu n'as pas de questions à te poser, il faut que tu l'épouses, décréta Maggie.

Arrachée à ses souvenirs, Riana tressaillit.

— Pardon ?

— Tu devrais voir la mine que tu as quand tu penses à lui ! Je ne comprends vraiment pas pourquoi tu te tortures l'esprit. Il est séduisant, talentueux et attentionné. Il t'a demandée en mariage et il veut des enfants. Que demander de plus ?

Riana se mordit la lèvre. Elle voulait des faits. Des certitudes.

Elle se plaça derrière Maggie et regarda l'écran.

— Qu'est-ce que c'est que ça ?

— Un article qui décrit son parcours professionnel depuis l'université. C'est tout ce que j'ai trouvé jusqu'à présent.

— C'est intéressant, mais trop général. Je veux des potins sur sa vie privée. Savoir si c'est un séducteur, qui était sa dernière petite amie. Pourquoi ils ont rompu.

Maggie poursuivit ses recherches.

— Oh, laissa-t-elle échapper, tout à coup.

Le cœur de Riana fit un bond dans sa poitrine. Pourvu que ses craintes ne soient pas fondées…

— Qu'y a-t-il ?

— Voici l'annonce de ses fiançailles avec une décoratrice d'intérieur appartenant à une riche famille de Double Bay.

Riana déglutit péniblement.

— Quand ?

— Il y a environ six mois.

Riana laissa échapper un profond soupir de soulagement.

— Je suis au courant. Il m'a dit qu'il avait rompu avec elle il y a cinq ou six mois. Probablement peu de temps après cette annonce.

— Dans ce cas, tu n'as aucune raison de te mettre martel en tête. Tu peux l'aimer en toute confiance, ton beau photographe.

Riana se redressa. Maggie avait probablement raison.

— Cherche encore.

— J'ai soif, dit Maggie en lançant une autre recherche. Tu peux m'apporter de l'eau ?

— D'accord.

Riana gagna la petite cuisine, envahie malgré elle par une douce euphorie.

Joe Henderson était sincère. Elle pouvait l'aimer sans crainte d'être trahie. Il voulait l'épouser et avoir des enfants. Que demander de plus, en effet ?

Un sourire aux lèvres, elle ouvrit le réfrigérateur et sortit une petite bouteille d'eau. Il ferait un père fantastique, un époux merveilleux et un véritable ami.

Elle regagna la réception en courant presque. Inutile de gâcher le dimanche de Maggie en l'obligeant à continuer de chercher vainement des potins au sujet de Joe. De toute façon, il fallait se méfier des potins...

Après tout, elle était suffisamment mûre pour se libérer de ses angoisses et accepter sans arrière-pensées l'amour d'un homme exceptionnel.

— Maggie ! lança-t-elle joyeusement.

Au même instant, elle se prit le pied dans le tapis et faillit lâcher la bouteille, mais elle parvint à se rattraper au mur, de justesse.

Et soudain, un souvenir l'assaillit. Une bouteille à la main, elle se tenait au mur du salon d'essayage, et elle disait : « Epouse-moi. »

A Joe Henderson.

Elle eut l'impression de recevoir un coup de poignard dans le cœur. Elle était ivre. Elle avait bu trop de vodka et... Seigneur !

— Maggie ! Ce n'est pas lui qui m'a demandée en mariage ! s'écria-t-elle en étouffant un sanglot. C'est moi qui lui ai demandé de m'épouser !

Maggie ouvrit de grands yeux.

— C'est toi qui... ?

— Il n'a jamais eu le coup de foudre pour moi, murmura Riana d'une voix blanche.

Dire qu'elle avait toujours eu la certitude que c'était lui qui l'avait demandée en mariage ! Et que cela avait conditionné chacune de ses paroles, chacun de ses gestes...

Quelle idiote ! Mais quelle idiote !

Maggie la rejoignit et la prit par les épaules.

— Je ne comprends pas. Pourquoi a-t-il dit oui ?

— Je n'en ai aucune idée.

Riana se laissa aller contre son amie, les jambes flageolantes et les yeux noyés de larmes.

— Pourquoi pourrait-il bien vouloir m'épouser ?

Avait-il besoin de se marier ou d'avoir un enfant avant une date fixée, afin de pouvoir toucher un héritage ? Etait-il atteint d'un mal incurable et voulait-il se marier avant de mourir ?

Plus les questions tourbillonnaient dans son esprit, plus Riana se sentait oppressée.

Seigneur ! Elle allait devenir folle ! En tout cas, il fallait absolument qu'elle découvre la vérité.

Et de toute façon, elle allait rompre avec Joe Henderson sans lui laisser l'occasion de la faire souffrir davantage.

14.

En entendant frapper à la porte, Joe se leva du canapé. Le match touchait presque à sa fin, mais il n'avait pas réussi à s'y intéresser.

Il avait l'esprit trop occupé par ailleurs.

En ouvrant la porte, il eut le souffle coupé.

Riana se trouvait devant lui. Vêtue d'un tailleur pantalon qui moulait ses courbes féminines à la perfection, elle avait tout d'une styliste à la fois très élégante et terriblement sensuelle.

— Bonjour, dit-elle d'un ton posé.

— Riana...

Bon sang, elle ne pouvait pas se passer de lui ! songea-t-il, le cœur battant. Tant mieux, parce qu'il avait beaucoup de mal à supporter son absence !

— Je passais par hasard, et...

— Tu as terminé tes retouches ? coupa-t-il précipitamment. Je me demandais si tu réussirais à finir pour demain.

Mieux valait éviter toute discussion trop personnelle tant qu'il ne serait pas libre de tout lui avouer, se dit-il.

— Oui, tout est prêt pour le défilé.

— Veux-tu entrer ?

— Non, merci, répliqua-t-elle d'un ton sec.

Joe tressaillit. Pourquoi semblait-elle si distante et même hostile, tout à coup ?

— Alors veux-tu que nous sortions ?

— Non plus.

Enfonçant les mains dans ses poches, il attendit. Les secondes s'écoulèrent. Impossible de retarder plus longtemps la question inévitable, décida-t-il au bout d'un moment.

— Que puis-je faire pour toi ?

Baissant les yeux sur ses chaussures, elle répliqua d'une voix crispée :

— Je voulais juste te remercier pour le dîner et... tout le reste, mais...

Elle s'interrompit.

— Mais toi et moi, ça ne marchera pas, reprit-elle d'une voix légèrement altérée.

Le cœur de Joe se serra.

Le moment était venu. Elle avait prononcé les paroles auxquelles il s'attendait depuis l'instant où il avait répondu oui à sa demande en mariage impromptue.

Il sentit un grand froid l'envahir. Sa mission était terminée. Riana était hors de danger. Elle avait fini par recouvrer la raison et surmonter le choc de sa rupture avec Stuart. Elle n'avait plus besoin de lui et ne voulait plus entendre parler de leurs fiançailles.

Le souvenir des moments qu'ils avaient passés ensemble resterait gravé à tout jamais dans son cœur. Malheureusement, il restait seul avec son rêve impossible. Riana ne l'aiderait jamais à remplir sa maison vide de trottinements et de rires d'enfants.

— Eh bien ? lança-t-elle d'un ton mordant. Tu n'as rien à dire ?

Il secoua la tête. Les mots ne parviendraient pas à exprimer ce qu'il ressentait.

Elle croisa les bras, ce qui eut pour effet de souligner la forme parfaite de ses seins sous son corsage de coton.

— Je pensais que tu aurais quelque chose à me dire, insista-t-elle, visiblement déçue.

— Je te souhaite tout le bonheur que tu mérites, Riana. J'espère que tu me donneras des nouvelles.

Riana sentit son cœur se serrer. Qu'elle rompe avec lui ne lui faisait pas plus d'effet ? De toute évidence, il n'éprouvait rien pour elle.

Mais aussi, comment avait-elle pu être assez stupide pour demander un inconnu en mariage et ne plus s'en souvenir le lendemain ?

D'un ton froid, elle déclara :

— Merci pour tes vœux. Sache cependant que je n'ai aucune envie de rester en contact avec toi. Je préfère oublier la ridicule demande en mariage que je t'ai infligée.

Le visage de Joe s'assombrit.

— Tu es sûre de vouloir l'oublier ?

— Absolument, parvint-elle à répliquer d'un ton ferme, à sa grande surprise.

Seigneur ! S'il savait ce qu'elle ressentait pour lui et qu'elle ne pouvait lui avouer...

Retirant l'anneau de cuivre de son doigt, elle le tendit à Joe.

Elle le considéra avec attention. Son visage était impassible. Une question lui brûlait les lèvres, mais malheureusement, elle ne trouvait pas le courage de la lui poser...

De toute façon, tenait-elle vraiment à savoir pourquoi il avait répondu oui à sa demande ? Quelle importance, à présent ?

Pivotant sur elle-même, elle descendit les marches du porche, le cœur serré. Ce silence était insupportable. De toute évidence, Joe se moquait éperdument qu'elle le quitte.

Elle restait seule avec son rêve impossible. Jamais elle n'épouserait Joe Henderson et jamais elle ne deviendrait la mère de ses enfants.

15.

Riana se fraya un chemin à travers la foule qui se pressait dans les coulisses du plus grand défilé de robes nuptiales de la semaine de la mode.

Les organisateurs avaient jugé ses créations dignes d'être présentées lors du gala d'ouverture. C'était un privilège inespéré pour une débutante et elle avait eu droit à de nombreux articles dans la presse.

Malheureusement, malgré tous ses efforts, elle ne parvenait pas à sourire.

Si seulement elle pouvait chasser de son esprit le souvenir de Joe et cesser de se demander inlassablement pourquoi il avait répondu oui à sa stupide demande en mariage...

Allons, inutile de se lamenter. Une chose était certaine : en mettant fin à leur relation, elle avait pris la bonne décision.

Jamais elle n'aurait pu poursuivre cette relation en étant à la fois certaine de son amour pour lui et rongée par le doute en ce qui concernait ses sentiments pour elle. La situation aurait été invivable.

Dans le vestiaire, ses mannequins se déshabillaient avec l'aide de Becky et de Ang.

— Félicitations à vous toutes ! lança-t-elle. Vous avez fait du beau travail.

Si seulement elle avait pu se réjouir sincèrement au lieu d'éprouver cette horrible impression de vide, se dit-elle avec tristesse.

Le visage des jeunes filles s'illumina.

— Nous finirons de ranger seules, si tu veux aller dans la salle pour regarder la suite du défilé et savourer ton triomphe, proposa Ang.

— Merci. Je crois que je vais accepter cette proposition.

Peut-être était-ce une bonne idée, se dit Riana. S'absorber dans la contemplation du défilé lui permettrait peut-être enfin d'oublier un peu Joe.

Pivotant sur elle-même, elle quitta les coulisses pour gagner la salle où se pressait un public nombreux.

Elle chercha un siège libre du regard.

— Riana.

Au son de la voix familière, elle se figea. Stuart la prit dans ses bras et la serra affectueusement contre lui.

— Riana, mon chou. Quel plaisir de te voir !

— Bonjour Stuart, répliqua-t-elle, surprise d'être aussi peu troublée par cette rencontre.

Dire qu'elle avait été dévastée quand elle s'était rendu compte qu'il n'avait pas l'intention de l'épouser… C'était insensé !

— Tu es splendide, déclara-t-il avec un regard appréciateur.

— Merci.

Elle l'observa à la dérobée. Il fallait reconnaître qu'il était très chic avec son costume noir et sa cravate turquoise.

— Tu es venu avec ta mère ? demanda-t-elle.

— Oui. Elle adore ce genre de manifestation.

Riana jeta un coup d'œil derrière elle. Si seulement elle pouvait repérer un siège libre et s'échapper…

Stuart mit les mains dans les poches de son pantalon.

— Je te présente mes excuses pour la semaine dernière. J'ai été stupide.

— De m'inviter dans ton chalet ? Ou de reconnaître que je n'étais pas le genre de fille qu'on épousait ?

Il tira nerveusement sur sa cravate.

— Excuse-moi, je ne sais pas ce qui m'a pris. En tout cas, ta collection a beaucoup de succès. Félicitations, tu es en route vers le succès.

Sa cote serait-elle soudain en hausse chez les Brooks ? se demanda-t-elle avec dérision.

— Merci, répliqua-t-elle avec le plus grand calme.

— Veux-tu venir t'asseoir avec nous ? Nous sommes devant.

Il plongea son regard dans le sien.

— J'aimerais beaucoup te présenter à ma mère.

— Non merci.

Elle détourna les yeux en s'efforçant de garder son sang-froid. Une semaine plus tôt elle n'était pas assez bien pour lui, mais à présent qu'on parlait d'elle dans les journaux, elle devenait soudain digne d'intérêt. Quel mufle !

— Riana.

L'enrobant d'un regard intense, il se rapprocha d'elle.

— S'il te plaît, veux-tu me faire l'honneur de dîner avec moi ce soir ? J'ai réservé une table dans le meilleur restaurant de Sydney et je serais ravi que tu m'y accompagnes.

— Pourquoi ? Tu as envie de passer la soirée avec une fille marrante ?

Stuart lui saisit les deux mains et les serra contre son torse.

— Je t'aime, Riana. Je t'ai toujours aimée, mais je ne m'en rendais pas compte.

— Vraiment ?

— Tu es spirituelle, belle, talentueuse.

Il porta sa main à ses lèvres.

— Je voudrais donner un tour plus sérieux à notre relation.

Elle le fixa avec froideur. C'était exactement ce qu'elle souhaitait entendre une semaine plus tôt. Aujourd'hui, elle se moquait éperdument de ce que Stuart Brooks pouvait penser d'elle.

— Dis-moi que je ne t'ai pas perdue pour toujours, insista ce dernier.

Elle resta silencieuse.

Stuart la prit par les épaules.

— Je t'aime de tout mon cœur, Riana.

Elle ferma les yeux. C'étaient les paroles qu'elle rêvait d'entendre… de la bouche de Joe.

— Stuart, il faut que j'y aille, dit-elle en se dégageant.

— Bonsoir, dit une voix profonde juste derrière elle.

Le cœur de Riana fit un bond dans sa poitrine. Seigneur ! La voix qui hantait ses rêves… Elle se retourna.

— Joe, murmura-t-elle.

Il avait une mine épouvantable. Son visage était d'une pâleur impressionnante et des cernes profonds creusaient ses yeux. Comme s'il manquait de sommeil...

Il était vêtu d'un jean et de son T-shirt noir favori. Beaucoup moins chic que Stuart, il le dépassait d'au moins quinze centimètres.

— Je vous dérange ? demanda-t-il d'une voix rauque.

— Non, pas du tout, répondit-elle, le cœur battant.

Seigneur ! Jamais elle n'avait été partagée ainsi entre l'espoir et l'appréhension. Que faisait-il ici ?

— Je te verrai plus tard, dit-elle à Stuart.

— Mais Riana..., protesta-t-il d'un ton geignard en les regardant tour à tour, Joe et elle.

Puis il s'éloigna à contrecœur.

Joe le désigna d'un mouvement de tête.

— Qui est-ce ?

Riana releva le menton.

— Stuart.

Joe croisa les bras.

— Il voulait renouer avec toi ?

— Eh oui. La semaine dernière je n'étais pas le genre de fille qu'on épouse, mais à présent que je commence à être reconnue dans le milieu de la mode, j'ai de nouveau toutes mes chances. Etonnant, non ?

— Que lui as-tu répondu ?

Elle haussa les épaules.

— Que je le verrais plus tard.

La mâchoire de Joe se crispa.

— Tu l'aimes ?

— Non, répliqua-t-elle avec une désinvolture délibérée.

148

Devant la lueur de tendresse qui s'allumait dans les yeux de Joe, Riana sentit les battements de son cœur s'accélérer et une douce chaleur l'envahir.

— Je ne l'ai jamais aimé, ajouta-t-elle.

— Pardon ?

D'un geste désinvolte de la main, elle indiqua que le sujet était clos. Ça n'avait plus aucune importance. L'important pour elle à présent était de parvenir à oublier Joe. Se redressant, elle darda un regard noir sur l'homme qui lui avait volé son cœur.

— Que fais-tu ici ?

— Je suis venu te voir pour discuter de ce qui s'est passé jeudi dernier.

Elle sentit sa gorge se nouer.

— C'est moi qui t'ai demandé en mariage, Joe.

Il hocha la tête.

— Oui. Vu ce que tu m'as dit hier, j'ai compris que tu avais recouvré la mémoire.

Elle sentit ses joues s'enflammer.

— Je t'ai demandé en mariage parce que j'étais ivre. Mais toi, pourquoi as-tu accepté ? demanda-t-elle en s'efforçant de surmonter son appréhension.

— Parce que j'étais inquiet à ton sujet.

Il se passa la main dans les cheveux.

— J'ai pensé que c'était un moyen de t'aider à surmonter ton chagrin.

Elle ferma les yeux, mortifiée. Dire qu'en dépit de tout elle avait gardé au plus profond d'elle-même une minuscule étincelle d'espoir... Qu'elle avait été assez stupide pour penser que peut-être, Joe avait tout de même eu le coup de foudre pour elle au club...

— Tu étais ivre et dévastée par ta rupture avec Stuart, poursuivit Joe. Je voulais t'éviter de commettre une bêtise.

— Quel genre de bêtise ?

Il mit ses mains dans ses poches.

— Tu avais tes clés de voiture…

Elle secoua la tête et parcourut du regard la salle bondée. Heureusement qu'ils se trouvaient dans le fond et que personne ne pouvait les entendre…

— Et le lendemain matin, pourquoi as-tu continué à jouer la comédie ?

Joe pinça les lèvres.

— Tu m'as dit que tu voulais mourir.

Elle le foudroya du regard.

— C'était une façon de parler ! Tu m'as crue au bord du suicide ?

— Je ne pouvais être sûr de rien, alors j'ai préféré ne pas prendre de risque.

— Qui t'a chargé de veiller sur moi ? demanda-t-elle en réprimant une furieuse envie de le gifler.

— Je voulais t'éviter de connaître le même sort que ma sœur.

La mine sombre, il prit une profonde inspiration.

— Elle aussi s'est soûlée après une rupture qu'elle a mal supportée. Elle a bu continuellement pendant une semaine et un jour, elle a pris sa voiture pour aller chez l'homme qui l'avait laissée tomber. Elle n'est jamais arrivée.

Quelle souffrance dans le regard de Joe ! constata Riana, le cœur serré. Seigneur ! Le voir souffrir était insupportable ! Si elle s'écoutait, elle le prendrait dans ses bras et le serrerait contre elle.

— Je suis désolée, Joe, murmura-t-elle.

— Ma sœur a perdu la vie. Je voulais que tu restes en vie.

Riana tressaillit. En fin de compte, elle n'était rien d'autre pour lui qu'une âme en peine à secourir... Et c'était uniquement parce qu'elle lui avait rappelé sa sœur qu'il avait accepté sa demande en mariage.

— Merci de m'avoir avoué la vérité, Joe, dit-elle d'une voix égale en s'efforçant d'ignorer la souffrance qui la déchirait. Je comprends mieux ce qui s'est passé. Merci, répéta-t-elle.

Il darda sur elle un regard brûlant.

— Je n'ai pas terminé. Tu comptes beaucoup pour moi.

Riana hocha la tête.

Nul doute que toutes les jeunes femmes en détresse comptaient beaucoup pour lui ! Déglutissant péniblement, Riana refoula ses larmes. Seigneur ! Elle n'allait pas pouvoir en supporter beaucoup plus. Après avoir voulu la protéger, aurait-il décidé de la plonger dans le désespoir ?

— Riana.

Elle tressaillit. Pourquoi une telle tendresse dans sa voix ? Et pourquoi la couvait-il d'un regard éperdu ? Serait-il possible qu'il ressente pour elle autre chose que de la compassion ? Son cœur se gonfla d'espoir.

— Oui ?

— J'ai d'autres choses à te dire. Beaucoup d'autres choses.

Il promena son regard autour de lui comme s'il venait juste de se rappeler où ils se trouvaient. Entre la musique, les applaudissements et les acclamations, l'endroit n'était pas idéal pour discuter.

— Puis-je te voir plus tard ?

— Oui, répondit-elle, le cœur battant à tout rompre.

— Je passerai chez Satin Blanc.

Se caressant la barbe, il l'enveloppa d'un regard caressant.

— Vers 17 heures.

Elle hocha la tête. Il pouvait la voir où il voulait, quand il voulait, du moment qu'il l'aimait.

— Et je te dirai tout.

Elle le regarda s'éloigner. Pourquoi ne restait-il pas ? Il aurait pu regarder le défilé avec elle tout en lui murmurant à l'oreille ce qu'il avait à lui dire.

Elle avait tellement hâte de savoir ce dont il s'agissait…

Pivotant sur elle-même, elle remonta l'allée latérale, à peine consciente des filles qui défilaient sur le podium et du public qui les regardaient. Joe l'aimait peut-être ! se répétait-elle, électrisée.

Le seul moyen de tromper son impatience était de regagner les coulisses et de replonger dans l'ambiance de folie qui y régnait. Nul doute qu'elle y trouverait des occupations.

Soudain, une femme se glissa devant elle et l'arrêta. Son tailleur pantalon de lin vert pâle à la coupe impeccable, son teint ivoire, son air hautain et son regard dédaigneux dénotaient l'aisance financière et le snobisme.

— Excusez-moi, dit-elle en tapotant d'un geste précieux son chignon impeccable. Je n'ai pas pu m'empêcher de remarquer que vous discutiez avec Joe Henderson.

Riana hocha la tête, un sourire aux lèvres.

— Vous le connaissez ?

— Si je le connais ?

La femme eut un petit rire méprisant.

— Nous sommes fiancés.

Riana eut l'impression de recevoir un coup de poing dans l'estomac. Cette femme en tailleur ne pouvait pas être la fiancée de Joe ! C'était elle, la fiancée de Joe... C'était pour elle qu'il éprouvait des sentiments...

Il était vrai que pour l'instant, il ne lui avait rien dit de tel.

Riana sentit son sang se glacer. Cette femme n'était pas faite pour Joe. Elle était beaucoup trop guindée pour manger de la pizza et écouter du rock'n'roll.

— Et... vous êtes ? parvint-elle à demander d'un ton neutre.

La femme lui tendit une main parfaitement manucurée.

— Francine Hartford. Le connaissez-vous bien ? Je suppose que c'est une relation de travail.

Riana serra la main de la femme, tandis qu'une sourde appréhension l'envahissait. Ce nom lui était familier.

Francine jeta un coup d'œil dans la direction qu'avait prise Joe.

— J'espérais le rattraper, mais j'étais au premier rang, de l'autre côté de la salle. Peu importe, ce n'est pas grave.

— Vous êtes décoratrice d'intérieur ? demanda Riana d'une voix hésitante.

La femme se rengorgea.

— Vous avez entendu parler de moi ?

Au prix d'un immense effort, Riana surmonta parvint à surmonter son désespoir et à murmurer :

— Oui.

En effet, elle avait entendu parler de Francine Hartford. C'était la fiancée de Joe. Depuis six mois !

16.

— Joe, quelle bonne surprise !

Francine était debout devant son bureau, vêtue d'un tailleur pantalon de lin vert pâle, probablement haute couture. Elle était toujours très fière de ses achats chez les grands créateurs, se rappela Joe.

Faisant tourner son stylo dans ses doigts, elle lui adressa un sourire.

— Je crois bien que c'est la première fois que tu viens me voir à mon bureau. A quoi dois-je ce plaisir ?

— Il faut que nous parlions, répondit-il en se dirigeant vers la fenêtre.

— Ta mine sévère ne laisse rien présager de bon. Ai-je des raisons de m'inquiéter ?

Elle eut un petit rire affecté.

— Je plaisante, bien sûr. Alors, as-tu fini de jouer les saint-bernard auprès de ton amie dépressive ? J'espère qu'elle va mieux et que tu vas pouvoir me consacrer un peu de temps. Je vais finir par être jalouse, tu sais.

— Francine...

Il traversa la pièce en contemplant d'un œil morne les bibelots soigneusement disposés sur les étagères avant de se décider à faire face à sa fiancée, l'estomac noué.

— C'est justement de cette amie que je veux te parler.

Francine s'assit dans son fauteuil, croisa les jambes et posa les mains sur ses genoux.

— Je t'écoute.

Bon sang, c'était plus difficile qu'il ne l'aurait cru, songea Joe en se passant nerveusement la main dans les cheveux. Comment expliquer la situation à Francine sans la blesser ?

— Eh bien ? reprit Francine. Tu me sembles bien nerveux. Je vais finir par croire que tu es tombé amoureux de cette amie.

Joe déglutit péniblement.

— Oui, en effet.

Elle secoua la tête.

— Allons, Joe. Sois lucide. Ta mère n'acceptera jamais que tu épouses un de ces mannequins toxicomanes que tu as la fâcheuse habitude de prendre sous ton aile.

— Ce n'est pas un mannequin.

La gorge de Joe se noua, tandis que l'image de Riana s'imposait à son esprit. Elle était cent fois plus attirante que tous les mannequins qu'il avait photographiés. Elle possédait une grâce et une sensualité inouïe. Jamais aucune femme ne l'avait ému à ce point.

Les lèvres pincées, Francine dardait sur lui un regard sombre.

— C'est sérieux ?

Joe mit les mains dans ses poches.

— On ne peut plus sérieux.

Elle se leva et se mit à arpenter le bureau.

156

— C'est-à-dire ?

— Je suis désolé, Francine. J'ai beaucoup d'estime pour toi, mais j'ai rencontré quelqu'un qui m'inspire des sentiments plus...

Il était impossible de décrire ce qu'il éprouvait pour Riana, et de toute façon, il n'en avait aucune envie, songea Joe. D'autant plus qu'il serait très malvenu de chanter les louanges de sa rivale à Francine...

— Si je comprends bien, tu es en train de vivre une folle passion et tu aimerais reprendre ta liberté.

Il hocha lentement la tête.

— Oui. Je ne vois pas d'autre solution.

Les bras croisés, Francine se mit à la fenêtre.

— Alors tu aimes cette fille ?

Il haussa les épaules. Oui, il présentait tous les symptômes de l'amour. Riana ne quittait jamais ses pensées. Sa présence le rendait fou. Son absence le torturait. Tout en elle le bouleversait.

— Je crois que je l'aime, en effet, dit-il en se frottant la mâchoire.

— Ne penses-tu pas qu'il vaudrait mieux en être certain avant de renoncer à un mariage avantageux ? objecta-t-elle d'un ton vif.

— En quoi exactement notre mariage serait-il avantageux ? demanda-t-il d'une voix égale.

En fait, il comprenait de moins en moins pourquoi une femme comme Francine voulait se marier avec un homme comme lui. Il était curieux qu'une femme aussi attachée au standing et à l'élégance souhaite partager la vie d'un photographe plutôt bohème.

Elle ouvrit de grands yeux étonnés.

— J'ai la position sociale et tu as l'argent, répondit-elle.

A en juger par la mine stupéfaite de Francine, il était évident que cette association du prestige et de la fortune était l'unique raison d'être de leur couple.

— Par ailleurs, nous faisons déjà presque partie de la même famille. Je m'entends à merveille avec ta mère et elle m'adore. Cet après-midi nous sommes allées ensemble à un défilé de robes de mariées...

Elle s'interrompit brusquement et arrangea son chignon.

— Et puisque tu tiens absolument à avoir un enfant, tu conviendras que le nôtre aura toutes les chances d'être beau.

Il déglutit péniblement.

— Un seul enfant ?

— Tu n'imagines tout de même pas que je vais subir deux grossesses ! dit-elle en se caressant les hanches.

Joe recula d'un pas.

— Est-ce que tu m'aimes ?

— Bien sûr ! répondit-elle avec un geste désinvolte de la main. Bien sûr, mon chéri. Bon, voilà ce que je te propose. J'attendrai que ton coup de folie ne soit plus qu'un souvenir. Je serai là quand tu recouvreras la raison, et tu verras que ce que je t'offre est nettement plus intéressant que tout ce que tu peux espérer d'une aventure passionnée.

Joe la fixa avec incrédulité. Bon sang. S'il s'était toujours arrangé pour limiter leurs tête-à-tête au strict minimum, ce n'était pas pour toutes les fausses raisons qu'il s'était inventées, finalement.

Inconsciemment, il refusait de passer assez de temps en compagnie de Francine pour découvrir quelle femme elle était réellement. De toute évidence, la seule chose qui la séduisait chez lui était son compte en banque…

— M'aimerais-tu encore si je donnais tout mon argent à des œuvres de charité ?

— Quoi ? s'écria-t-elle d'une voix stridente. Tu ne peux pas envisager sérieusement de commettre une telle folie !

Joe la considéra avec indifférence. Cette femme était une étrangère pour lui.

— Merci d'avoir été ma fiancée, Francine, dit-il d'un ton posé. Mais je crois qu'il est temps que nous passions tous les deux à autre chose.

Elle fixa le sol, visiblement embarrassée. Sans doute prenait-elle conscience qu'elle s'était trahie.

— Tu en es sûr ?

— Certain.

Elle ferait une épouse parfaite pour un politicien ambitieux, mais pas pour lui. Depuis que Riana était entrée dans sa vie, il avait de nouvelles aspirations.

— Veux-tu que je te rende ta bague ? demanda Francine d'une voix hésitante en regardant le diamant qui étincelait à son doigt.

— Non, garde-la.

De toute évidence, elle était plus perturbée à la perspective de se séparer de la bague que de lui.

Elle eut un sourire soulagé.

— Merci. Si tu changes d'avis…

Secouant la tête, il gagna la sortie.

Jamais il ne pourrait renoncer à la passion qui le faisait vibrer tout entier pour se marier avec Francine.

A présent, le moment était venu de retrouver Riana.

Il avait tellement hâte de tout lui avouer et de la serrer dans ses bras...

Plus rien ne pouvait les séparer, à présent.

17.

Assise à son bureau, Riana mordillait son stylo en regardant les papiers étalés devant elle.

— Tu trouves l'inspiration ? demanda Joe en réprimant l'envie de s'approcher d'elle pour remettre en place la mèche de cheveux qui lui tombait devant les yeux.

Bon sang ! Il avait un tel désir de la serrer de nouveau contre lui…

Elle leva les yeux.

— Oh, rebonjour, Joe, dit-elle d'une voix dénuée de toute chaleur. Ce sont des commandes que nous avons reçues aujourd'hui. J'élabore le planning des séances d'essayage et je dresse la liste des commandes à passer.

Joe ne put s'empêcher d'être déçu. Ce n'était pas dans cet état d'esprit qu'il pensait la trouver. Et ce n'était pas de travail qu'il voulait parler.

— Riana.

Elle jeta un coup d'œil à sa montre.

— Que veux-tu ?

— Que se passe-t-il ? s'enquit-il avec perplexité en refermant la porte derrière lui. Tu sembles contrariée.

Stuart l'aurait-il harcelée ? A en juger par sa mine sombre et ses yeux humides, elle était bouleversée.

Il était tentant de la prendre dans ses bras pour tenter de lui faire oublier tous ses problèmes, songea-t-il. Malheureusement, il était incapable de faire un pas de plus. Ses pieds semblaient rivés au sol.

Elle lui jeta un regard glacial.

— Eh bien, j'ai réfléchi. Je ne crois pas que ce soit une bonne idée pour nous de poursuivre cette comédie.

Joe eut l'impression de recevoir le plafond sur la tête.

— Quelle comédie ?

Elle remua les papiers devant elle.

— Toi et moi. Je préfère en rester là. Après tout, je ne sais rien de toi.

— Que veux-tu dire ?

— Je te remercie pour ta sollicitude. Et aussi pour tes prestations en nature. C'était vraiment très généreux de ta part. Je dois reconnaître que si j'ai réussi à me remettre de ma rupture avec Stuart, c'est en grande partie grâce à tes baisers. Ils sont vraiment très efficaces.

Elle darda sur lui un regard glacial.

Pétrifié, Joe était au comble de la confusion.

— Mais enfin, que se passe-t-il, Riana ? Explique-moi !

Elle eut un geste désinvolte de la main.

— Il n'y a rien à expliquer. De toute façon, je ne suis pas ta fiancée. Ce que je t'ai dit hier reste valable. Et pour être honnête, j'ai d'autres propositions.

Le sang de Joe se glaça dans ses veines.

— Stuart ?

— Oui, Stuart, confirma-t-elle d'une voix doucereuse. Entre autres.

— Mais...

162

— Toute discussion est inutile, coupa-t-elle d'un ton posé en se levant. Tu es vraiment le dernier homme au monde avec qui j'envisagerais de me marier.

Joe resta sans voix. Pourquoi Riana était-elle aussi agressive, tout à coup ? Comment pouvait-elle lui assener de telles horreurs ?

— Et tout ce qui s'est passé entre nous ce week-end ? objecta-t-il d'une voix à peine audible.

Elle ne pouvait pas nier la ferveur de leurs baisers, l'intensité de leur désir mutuel, l'électricité qui vibrait entre eux.

Rougissant légèrement, elle baissa les yeux.

— Comme je te l'ai dit, tes baisers ont été très efficaces.

Elle ouvrit son sac et sortit son porte-monnaie.

— Je peux te dédommager pour ton temps et ton énergie.

— Quoi ? hurla-t-il, scandalisé.

C'était impossible ! Il avait dû mal entendre. Ne représentait-il rien de plus pour elle qu'un compagnon agréable aux baisers efficaces ? Non, c'était impossible. Il avait dû se passer quelque chose pour que Riana ait changé à ce point d'attitude à son égard.

— Combien estimes-tu que je te dois ? Vingt ? Cinquante ? Cent dollars ?

Un à un elle sortit des billets et les lui tendit.

Retrouvant l'usage de ses jambes, il se précipita vers le bureau, les poings serrés, la mâchoire crispée.

— Vas-tu enfin m'expliquer ce qui se passe, Riana ? s'écria-t-il.

Arquant les sourcils, elle posa les billets sur le bureau devant lui.

— Rien de spécial. Sinon que j'ai recouvré la raison et que je n'ai plus besoin de toi. Par ailleurs, je suis à présent une styliste reconnue et je préfère éviter de m'afficher avec un photographe. Je mérite mieux.

Evitant son regard, elle tria de nouveau les papiers éparpillés sur son bureau.

Submergé par une souffrance atroce, Joe eut l'impression d'étouffer subitement. Comment allait-il pouvoir vivre sans elle ? Dans un sursaut de fierté, il redressa les épaules.

— D'accord.

Elle se mordit la lèvre inférieure.

— Tu as compris ?

— Absolument. Je ne suis pas idiot.

Pivotant sur lui-même, il gagna la porte à grands pas, en proie à une souffrance indicible.

— Je connais le chemin.

— Parfait… Inutile de préciser que je ne veux plus jamais te revoir.

Il s'immobilisa, poignardé en plein cœur par ce rejet définitif. Dire qu'il croyait avoir trouvé le grand amour… Comment avait-il pu se tromper à ce point sur Riana ?

Dieu merci, il n'avait pas eu le temps de se ridiculiser en lui avouant à quel point il l'aimait. Du moins avait-il évité une profonde humiliation.

Il s'en remettrait. Il parviendrait à vivre sans elle. A se passer de ses lèvres pulpeuses, de son corps soyeux, de sa voix mélodieuse, de ses grands yeux noirs.

Un jour, il finirait par l'oublier.

Encore fallait-il espérer que ce jour ne soit pas trop lointain.

18.

Les genoux de Riana se dérobèrent sous elle et la jeune femme s'affaissa sur le sol, secouée de sanglots.

C'était fait. Elle était hors de danger. Elle ne risquait plus d'être utilisée comme un jouet par Joe Henderson, alors qu'il était déjà fiancé. Dieu merci, ils n'avaient pas fait l'amour...

Le visage baigné de larmes, elle secoua la tête. Il s'en était fallu de peu.

Dans quelques mois, Joe serait marié.

Francine Hartford aurait la maison, le chien et les enfants, alors qu'elle-même n'avait eu droit qu'à des mensonges.

Essuyant ses larmes, elle releva la tête.

Malgré tout, elle pouvait être fière d'elle et se féliciter d'avoir su se montrer forte face à l'adversité. Elle avait gardé le contrôle de la situation.

C'était elle qui avait mis le point final à cette sinistre comédie.

Elle n'avait pas endossé le rôle de la victime, même si elle souffrait comme une damnée...

Pourquoi était-ce si douloureux ? se demanda-t-elle en réprimant un gémissement. Croisant les bras sur son ventre, elle se plia en deux.

Cette sensation de vide était si insupportable qu'elle en avait la nausée. Aurait-il été moins frustrant de vivre pleinement cette passion jusqu'à ce que Joe la quitte ?

Aurait-elle été capable d'avoir une brève aventure avec cet homme jusqu'à son mariage avec la décoratrice ? Oh, que la vie était injuste !

Etait-ce trop demander que d'être aimée d'un amour sincère et durable ?

Pourquoi n'aurait-elle pas le droit elle aussi de rencontrer un homme prêt à tout pour la rendre heureuse ?

S'essuyant les joues, elle se redressa. Du moins avait-elle eu la satisfaction de lire l'effarement sur le visage de Joe.

A en juger par son expression horrifiée, elle avait frappé juste et fort. De toute évidence, il ne s'attendait pas du tout à ce que ses projets soient bousculés.

Elle tenta de sourire mais n'y parvint pas.

La porte s'ouvrit brusquement.

— Que se passe-t-il ? demanda Maggie en s'agenouillant à côté d'elle. Je viens de voir Joe s'en aller.

— Je l'ai quitté.

— Oui, je sais, dit Maggie en lui passant un bras autour du cou. Tu as décidé de mettre fin à votre relation hier quand tu t'es souvenue que c'était toi qui l'avais demandé en mariage.

— Je viens de mettre fin à notre relation une seconde fois à l'instant.

La voix de Riana se brisa.

— Il est venu au défilé, poursuivit-elle. Il m'a raconté qu'il avait perdu sa sœur dans un accident de voiture à cause d'une rupture qu'elle n'avait pas supportée.

— Oh.

Riana roula les yeux.

— S'il a accepté ma demande en mariage c'était uniquement pour me protéger contre moi-même !

— Que s'est-il passé après qu'il t'a raconté cela ? demanda Maggie en s'asseyant par terre.

— Nous nous sommes réconciliés. J'avais la certitude qu'un avenir radieux nous attendait. J'étais si heureuse !

— Ça prouve que tu l'aimes.

— Oui, mais ensuite, j'ai rencontré sa fiancée.

La voix de Riana se brisa de nouveau.

— Oh, mon Dieu ! Quelle horreur ! s'écria Maggie en la serrant dans ses bras.

— J'avais tellement envie que ça marche avec lui, murmura Riana d'une voix éteinte.

— Je sais. Pourtant, j'aurais juré sur ce que j'ai de plus cher qu'il t'aimait passionnément.

Riana donna libre cours à ses larmes dans les bras de Maggie. C'était si humiliant d'être utilisée comme un vulgaire jouet… Sa seule satisfaction était d'avoir pris les devants et d'avoir mis fin la première à leur relation.

— Je lui ai offert mon cœur et je l'ai laissé le piétiner, se lamenta-t-elle.

— Allons, tu sais parfaitement que ça n'a pas été si facile que ça pour lui. Tu lui as donné du fil à retordre.

Riana hocha la tête. Maggie n'avait pas tort. Mais elle aurait dû écouter la voix de la raison et le rejeter dès le début.

Certes, elle commençait à avoir l'habitude de rencontrer des hommes qui n'étaient pas faits pour elle. Mais cette fois, c'était beaucoup plus grave.

Parce que cet homme qui n'était pas fait pour elle, elle l'aimait d'un amour fou.

Le simple fait de penser à lui la faisait languir. Dire qu'elle ne l'embrasserait plus jamais… Qu'elle ne sentirait plus jamais autour d'elle ses bras chauds et puissants…

Elle secoua la tête. C'était trop injuste. Elle avait été d'une sincérité absolue avec lui.

Poussant un profond soupir, elle se redressa et se fit secrètement une promesse. Jamais plus elle ne prendrait le risque d'aimer. C'était trop douloureux.

19.

Riana regardait la porte de son bureau tout en griffonnant distraitement une esquisse de robe. Elle avait pensé à Joe toute la nuit et n'avait pas pu fermer l'œil.

Sans doute connaîtrait-elle encore de nombreuses nuits sans sommeil, car il lui était impossible de dormir sans rêver de Joe.

D'un geste rageur, elle barra le papier d'un grand coup de crayon, puis posa le front sur le bureau, fixant les contours flous de ses dessins. Il l'avait trahie.

A présent, elle se retrouvait dans la situation qu'elle s'était juré d'éviter à tout prix. Seule, le cœur brisé, se consumant d'amour pour un homme qu'elle ne pourrait jamais avoir.

Le coup frappé à la porte résonna dans la pièce.

Elle se redressa sur son siège, ramena en arrière les mèches de cheveux qui lui tombaient devant les yeux et inspira profondément. Elle était une styliste reconnue et devait se comporter comme telle.

Elle déglutit péniblement. La journée d'hier était derrière elle. Aujourd'hui était un nouveau jour et il n'était pas question de donner à Joe la satisfaction de le gâcher. Elle releva le menton. Désormais, elle n'accorderait plus une seule pensée à Joe Henderson.

La porte s'ouvrit et Maggie passa la tête dans l'embrasure.

— Tu vas bien ?

— Oui, bien sûr.

— Menteuse.

Maggie pénétra dans le bureau et se laissa tomber dans le fauteuil des visiteurs.

— Tu as besoin de parler ?

Riana secoua la tête.

— Non. Je veux oublier le plus vite possible cet épisode lamentable.

— Tu seras peut-être intéressée d'apprendre qu'une de tes commandes a été annulée hier.

Riana plissa le front.

— Déjà ? Je pensais qu'il faudrait au moins une semaine au public pour se rendre compte que je ne suis pas à la hauteur de ma réputation.

Maggie leva les yeux au ciel.

— Tu veux bien être sérieuse, deux minutes ? Si cette cliente ne veut plus de sa robe, c'est parce que son fiancé a annulé le mariage hier après-midi.

Riana soupira.

— Comme c'est triste.

La pauvre femme devait être dévastée si elle aimait son fiancé autant qu'elle-même aimait Joe.

Maggie haussa les épaules.

— J'ai pensé que tu aimerais être prévenue.

Riana hocha la tête.

— C'est bien ma veine.

S'il y avait d'autres annulations, tout l'argent qu'elles avaient dépensé pour les photos, la confection des modèles et le défilé aurait été investi à perte.

Se penchant en avant, Maggie écarta les feuilles de papier qui recouvraient le carnet de commandes et poussa ce dernier devant Riana.

— Tu vas être obligée de la rayer de la liste. As-tu jeté un coup d'œil sur les commandes prises hier ?

— Non, je n'ai pas eu le temps.

Riana ouvrit le carnet en s'efforçant d'ignorer la vague de tristesse qui la submergeait. En principe, elle aurait dû s'y intéresser dès hier la veille, vu l'enthousiasme soulevé par le défilé. Malheureusement, elle n'avait pas eu le cœur de le faire…

— Il faut donner des rendez-vous aux autres clientes, dit-elle machinalement.

— Ne t'inquiète pas, je m'en occuperai.

Maggie se renfonça dans son fauteuil, un sourire étrange aux lèvres.

— Qu'y a-t-il ? demanda Riana, perplexe.

— Rien. N'oublie pas de rayer le nom de la liste.

— Quel nom ? dit-elle en prenant un stylo.

— Francine Hartford.

— Quoi ? s'exclama Riana, le cœur battant à tout rompre. La fiancée de Joe ?

Les pensées se bousculèrent dans son esprit.

— Qu'est-ce que ça signifie ?

— Qu'il t'aime peut-être un peu.

La gorge nouée, Riana pivota sur son siège et regarda par la fenêtre. Il était impossible qu'il l'aime — leur histoire n'était-elle pas terminée ?

— Pour lui, je n'étais qu'une jeune femme en détresse de plus à aider.

Et à utiliser, ajouta Riana *in petto*.

— Eh bien, c'est plutôt touchant, non ?

Riana pivota de nouveau pour faire face à son amie.

— Tu as changé de discours, apparemment.

— Etant donné qu'il a rompu avec sa fiancée, je pense qu'il y a des chances pour qu'il t'aime.

Maggie se pencha en avant.

— Pour qu'il t'aime vraiment.

— Oui, bien sûr, commenta Riana avec une ironie appuyée en s'efforçant de réprimer l'euphorie qui l'envahissait peu à peu. Il voulait me protéger contre moi-même… parce qu'il me croyait suicidaire… ou alcoolique. Qu'en dis-tu ?

— Que Joe Henderson pourrait bien être un homme exceptionnel.

— Maggie ! Arrête de le défendre ! protesta Riana.

Elle avait besoin qu'on lui affirme que Joe Henderson était un sale manipulateur. Pas qu'on lui chante ses louanges !

— Tu es censée me soutenir, ajouta-t-elle.

— Tu ne crois pas qu'il est dans ton intérêt de reconsidérer entièrement la situation ?

— Non.

Riana croisa les bras. Pas question de perdre une journée de plus à échafauder tout un tas d'hypothèses plus farfelues les unes que les autres au sujet de Joe Henderson. C'était juste un assistant social frustré qui jouait les héros.

Or elle n'avait pas besoin d'un héros. Elle n'était pas Cendrillon.

— Tu l'aimes, insista Maggie d'une voix douce. Il faut que tu fasses quelque chose. Il a annulé son mariage pour toi. C'est évident.

Riana se redressa d'un bond et se mit à arpenter la pièce en s'efforçant de réprimer l'espoir fou que faisaient naître les paroles de Maggie. Joe aurait-il vraiment annulé son mariage pour elle ?

— Comment peux-tu en être sûre ? objecta-t-elle.

Maggie se leva et, les poings sur les hanches, elle darda sur Riana un regard exaspéré.

— Et toi, comment peux-tu être sûre du contraire ?

— Nous n'en savons pas plus l'une que l'autre.

— C'est vrai.

Maggie se dirigea vers le canapé et arrangea les coussins.

— Mais je pense que tu devrais lui parler pour en avoir le cœur net, ajouta-t-elle.

Riana secoua la tête. Impossible. Comment pourrait-elle trouver la force de l'affronter de nouveau ? Elle avait déjà eu toutes les peines du monde à rompre d'abord une première fois, ensuite une deuxième... Une troisième rupture risquait de l'achever.

Elle ne voulait plus voir ses yeux d'or dans lesquels brillait cette petit lueur si déstabilisante. Ni cette joue ombrée de barbe, qu'elle brûlait de caresser du bout des doigts. Et surtout, elle ne voulait plus qu'il la prenne dans ses bras.

Ça ne marcherait pas.

Maggie donna un coup de poing dans un coussin et le secoua avant de le reposer sur le canapé.

— Riana, il faut que tu comprennes une fois pour toutes qu'il y a des moments dans la vie où il faut prendre des risques.

Riana se mordit la lèvre. Elle ne voulait pas entendre parler de risques. Elle voulait des garanties.

— Si tu ne fais rien, tu le regretteras toute ta vie, poursuivit Maggie. Tu ne peux pas faire comme ta mère et t'enfermer dans le silence en refusant d'aller de l'avant.

Riana se raidit. Maggie avait raison. Sa mère s'était emmurée dans la solitude. Pendant longtemps Barbara s'était désintéressée de son propre avenir parce qu'elle était restée embourbée dans le passé.

Etait-ce ce qui l'attendait ? Allait-elle se condamner à être hantée par le souvenir de Joe pendant des années ? Déglutissant péniblement, Riana s'efforça de refouler les larmes qui perlaient à ses paupières. Oui. Il n'y avait aucun doute là-dessus.

Il fallait qu'elle réagisse.

— Je ne sais même pas où le trouver, dit-elle, le cœur battant à tout rompre.

Elle allait le revoir. Peut-être pour la dernière fois…

— Tu le trouveras.

Riana fixa la porte. Pouvait-elle prendre ce risque ? Serait-elle assez forte pour affronter Joe ? Pour supporter d'entendre ce qu'il avait à lui dire ? Y avait-il le moindre espoir qu'il ressente pour elle autre chose que de la pitié ?

— Tu n'as tout de même pas l'intention d'attendre quinze ans avant de sauter le pas…

Riana saisit son sac d'un geste vif. Une fois de plus, Maggie avait raison. Elle n'était pas sa mère. Elle était

174

une styliste pleine d'avenir qui ne se laisserait piétiner par personne. Et qui ne laisserait sûrement pas son propre passé lui empoisonner l'existence.

Elle allait trouver Joe et lui demander quels étaient ses sentiments pour elle, s'il en avait… Et s'il ne l'aimait pas, tant pis.

Elle serra les poings. Au moins, elle en aurait le cœur net et elle pourrait continuer à aller de l'avant, sans regrets.

Maggie avait raison. Il fallait savoir prendre des risques…

Au milieu du vieux théâtre, les projecteurs étaient braqués sur une femme en robe de soirée et fausse fourrure. Accroupi à quelques mètres d'elle, Joe la photographiait, faisant crépiter les flashes.

Riana sentit sa gorge se serrer. Hier déjà, elle lui avait trouvé mauvaise mine, mais aujourd'hui, c'était encore pire.

Elle approcha lentement, saluant de la tête les membres de son équipe. Nul doute qu'ils connaissaient toute l'histoire, se dit-elle en crispant les poings. Leurs regards étonnés en étaient la preuve.

Les joues en feu, elle pinça les lèvres. Peu importait l'opinion des autres. Les yeux fixés sur Joe, elle s'astreignit à respirer lentement, tout en continuant d'avancer en comptant ses pas. Cette fois, rien ne l'empêcherait de découvrir ce qu'il éprouvait réellement pour elle.

Il baissa son appareil photo.

— Fantastique, Eloise. C'est du très bon travail. Tu es un mannequin né.

— Vraiment ? s'exclama la jeune fille en courant vers lui comme une lycéenne enthousiaste.

En fait, il était fort possible qu'elle soit encore au collège, se dit Riana. Sous le maquillage on devinait les traits d'une jeune fille qui ne devait pas avoir plus de dix-huit ans.

La jeune fille en question sauta au cou de Joe.

— Tu es merveilleux, Joe !

— Merci, mais en l'occurrence c'est toi qui mérites les compliments, répliqua-t-il en la serrant brièvement dans ses bras. Va te changer.

Riana se figea, le cœur serré. Il était donc prévenant avec tout le monde ?

Et si elle se berçait d'illusions ? Si toutes les attentions qu'il avait eues pour elle n'étaient dues qu'à sa générosité naturelle ? Si même ses baisers passionnés n'avaient eu pour seul but que de lui faire oublier Stuart ? Etait-il aussi obligeant avec toutes les femmes qu'il croisait ?

Joe posa son appareil et se retourna.

— Est-ce qu'on pourrait avoir un peu plus de lumière à droite…

Il s'interrompit brusquement.

— Riana.

Elle ouvrit la bouche, mais aucun son n'en sortit. Seigneur ! Le simple fait de le revoir la bouleversait ! Au souvenir de tout ce qui s'était passé entre eux, une intense chaleur l'envahit et ses yeux s'humectèrent.

— Pouvons-nous parler ? demanda-t-elle, la gorge serrée.

Il secoua la tête.

— Je n'en vois pas l'utilité. Tu as été parfaitement claire hier.

176

Elle prit une profonde inspiration. Pas question de flancher. Le moment était venu. Il fallait qu'elle obtienne à tout prix des réponses aux questions qui la hantaient.

— J'ai besoin… J'ai besoin de savoir… pourquoi tu as rompu avec Francine.

Il écarquilla les yeux, visiblement stupéfait.

— Tu es au courant ?

Elle hocha la tête.

— J'ai besoin de savoir également si, avec moi, tu jouais le bon Samaritain.

Elle se mordit la lèvre.

— Ou si j'étais une dernière conquête avant ton mariage.

Elle croisa mentalement les doigts.

— Ou si je représentais autre chose.

Joe s'approcha d'elle.

— Tu représentais autre chose.

Pas de doute, l'émotion dans sa voix était sincère, comprit Riana, le cœur gonflé d'espoir.

— Et Francine ?

— Quand je me suis fiancé avec elle, ce projet de mariage me semblait une bonne idée.

Il plongea son regard dans le sien.

— En fait, c'était elle qui estimait que nous formions un couple intéressant, mais en réalité, nous n'étions pas faits l'un pour l'autre.

— Sais-tu pour qui tu es fait ? demanda Riana le cœur battant à tout rompre.

Il lui prit le visage à deux mains.

— Oui. Pour toi.

Elle sentit son souffle chaud lui caresser le visage et elle fut parcourue d'un long frisson.

— Au début, je n'étais qu'une jeune femme qui avait besoin d'aide, n'est-ce pas ? insista-t-elle.

Il lui caressa la joue, du bout du pouce.

— Au début, je cherchais à te sauver, mais finalement c'est toi qui m'as sauvé.

Elle s'humecta les lèvres. Allait-il prononcer les mots qu'elle attendait ?

— Vraiment ?

— Je m'étais fiancé avec Francine, parce c'était un choix raisonnable... Mais la dernière chose dont j'ai besoin c'est d'un mariage de raison.

L'estomac noué, Riana esquissa un pâle sourire. Elle lui aurait au moins rendu ce service...

— Je suis heureuse de t'avoir aidé à en prendre conscience.

Il fallait absolument qu'elle parte avant que les sanglots qui lui nouaient la gorge éclatent.

— Eh bien... Il vaut mieux que je m'en aille, puisque ma mission est terminée.

Elle fit un pas en arrière. Seigneur ! Pourvu qu'elle parvienne à maîtriser sa douleur le temps de disparaître de sa vue !

Mais il lui prit la main.

— Tu ne vas nulle part.

— Non ?

Elle déglutit péniblement. Quelle autre torture avait-il décidé de lui faire subir ?

— J'ai beaucoup de travail, tu sais, reprit-elle. Je suis venue ici uniquement pour obtenir des réponses à mes questions, afin de pouvoir ensuite oublier à tout jamais la semaine dernière.

— Il n'en est pas question.

Joe l'attira plus près de lui en dardant sur elle un regard dangereusement étincelant.

— Parce que si la semaine dernière a été comme pour moi la semaine la plus fantastique de ta vie, elle mérite que tu t'en souviennes.

— C'était la semaine la plus fantastique de ta vie ? murmura Riana, la gorge nouée.

— Absolument.

Les yeux étincelants, il la couva d'un regard éperdu.

— C'est la semaine au cours de laquelle je suis tombé amoureux de toi, Riana Andrews.

La jeune femme eut le souffle coupé par l'émotion.

— Riana, je t'aime, dit Joe.

Il effleura ses lèvres et elle sentit une délicieuse chaleur l'envahir. Avait-elle bien entendu ? Il l'aimait ?

Elle plongea son regard dans le sien. Pas de doute. Son amour se lisait dans ses yeux dont l'éclat intense était plein de promesses.

Tombant à genoux, il lui prit la main gauche.

— S'il te plaît, fais-moi l'honneur de devenir ma femme, mon amie, ma partenaire. Laisse-moi partager ta vie.

— Tu plaisantes...

— Pas du tout ! protesta-t-il, visiblement choqué.

Elle mit une main sur son cœur.

— Je ne veux plus de fiançailles précipitées, dit-elle.

Elle en avait assez d'essayer de rivaliser avec ses sœurs...

Lâchant sa main, Joe se releva.

— Vraiment ?

— Vraiment, acquiesça-t-elle d'une voix douce en se rapprochant de lui.

Si leur amour était sincère, il n'y avait aucun risque qu'il s'estompe ni qu'il disparaisse.

— En revanche, je veux bien envisager de sortir avec toi, ajouta-t-elle.

Un sourire étira les lèvres sensuelles de Joe.

— Vraiment ? demanda-t-il, les yeux brillants.

— Et plus tard, quand nous nous connaîtrons mieux, si notre amour est toujours aussi magique et aussi beau, nous pourrons envisager de fonder une famille.

— Tu as raison. Nous ne sommes pas obligés de nous précipiter.

Se penchant sur elle, il s'empara de sa bouche avec ferveur.

Épilogue

Avec un soupir d'aise, Riana posa son couteau et sa fourchette en souriant à l'homme de sa vie, assis en face d'elle à la lueur des bougies.

Comme elle aimait cette maison ! Elle y était chez elle, à présent et elle s'y sentait merveilleusement bien !

— Quoi de plus agréable qu'un repas gastronomique dégusté chez soi ? lança Joe avec un sourire malicieux.

Il se leva et remit les couvercles sur les plats de céramique. Des senteurs épicées typiques de la cuisine indienne embaumaient l'atmosphère de la salle à manger.

— Surtout quand c'est un dîner d'anniversaire, ajouta-t-il en la couvant d'un regard plein de tendresse.

A la grande surprise de Riana, il s'agenouilla devant elle.

— Qu'y a-t-il ? demanda-t-elle, le cœur battant.

Il mit la main dans sa poche et en sortit un petit objet.

— Avec cette alliance...

Le cœur de Riana se mit à battre la chamade. C'était l'anneau de cuivre qu'il lui avait donné lors de la soirée mémorable de leurs fiançailles à Satin Blanc !

— N'est-ce pas un peu prématuré de m'offrir une alliance ? plaisanta-t-elle.

— Tu as raison.

Les lèvres pincées, il remit l'anneau dans sa poche.

— Oh, non ! protesta-t-elle. Je veux le garder. Cet anneau représente tellement pour moi…

Impassible, Joe mit la main dans son autre poche.

— Que penses-tu de ceci ?

Dans un petit écrin de velours rouge, un diamant taillé en forme de cœur et enserré entre les griffes de sa monture en platine, étincela à la lueur des bougies.

Le cœur gonflé d'une joie indicible, Riana plongea un regard éperdu dans celui de Joe.

— Oh, mon amour, tu es merveilleux !

— Veux-tu m'épouser ? demanda-t-il de sa voix veloutée.

— Oui !

Se redressant d'un bond, elle lui sauta au cou et l'embrassa avec fougue.

La vie promettait d'être si belle auprès de Joe !

Chère lectrice,

Vous nous êtes fidèle depuis longtemps?
Vous venez de faire notre connaissance?

C'est pour votre plaisir que nous avons
imaginé un rendez-vous chaque mois
avec vos auteurs préférés, vos
AUTEURS VEDETTE dans les
collections Azur et Horizon.

Les AUTEURS VEDETTE vous
donneront rendez-vous pour de
nouveaux livres vedette.

Pour les reconnaître, cherchez
l'étoile ... Elle vous guidera!

Éditions Harlequin

ROUGE PASSION

De fiévreuses histoires d'amour sensuelles!

De provocantes histoires d'amour passionnées et romantiques qu'on lit d'une seule traite. Aventureuses, parfois humoristiques, et sensuelles, elles mettent en vedette des hommes et des femmes d'aujourd'hui.

ROUGE PASSION...
trois nouveaux titres chaque mois.

GEN-RP-R

COLLECTION HORIZON

Des histoires d'amour romantiques qui vous mènent au bout du monde!

Découvrez la passion et les vives émotions qu'apportent à la Collection Horizon des auteurs de renommée internationale!

Captivantes, voire irrésistibles, ces histoires d'amour vous Iront assurément droit au coeur.

Surveillez nos trois nouveaux titres chaque mois!

L'ASTROLOGIE EN DIRECT
TOUT AU LONG
DE L'ANNÉE.

(France métropolitaine uniquement)
Par téléphone 08.92.68.41.01
0,34 € la minute (Serveur SCESI).

Composé et édité par les
*éditions*Harlequin
Achevé d'imprimer en juillet 2005

BUSSIÈRE
GROUPE CPI

à Saint-Amand-Montrond (Cher)
Dépôt légal : août 2005
N° d'imprimeur : 51543 — N° d'éditeur : 11483

Imprimé en France